HEYNE <

Das Buch

Erotisch und unwiderstehlich sind die in diesem Band versammelten Erzählungen, von denen man sich verführen und anregen lassen kann. Ob bei genussvollen Rollenspielen, mit langen sehnsuchtsvollen Blicken, bei heimlichen Verabredungen, Blind Dates oder in ganz besonderen Fitnessstudios: Luna meistert Sinnlichkeit, Stil, Verführung und leichte Ironie wie keine andere.

Die Autorin

Luna, geboren 1970, arbeitete als Make-up-Artistin unter anderem für *Playboy* und *Vogue.* Mit ihrem Ehemann lebt sie auf Ibiza, wo sie an ihrem zweiten Erzählband arbeitet.

LUNA

Saftig

Erotische Storys

WILHELM HEYNE VERLAG
MÜNCHEN

Verlagsgruppe Random House
FSC-DEU-0100
Das für dieses Buch verwendete
FSC-zertifizierte Papier *Holmen Book Cream*
liefert Holmen Paper, Hallstavik, Schweden.

5. Auflage
Vollständige deutsche Originalausgabe 11/2007

Printed in Germany 2008
Umschlagfoto: © Frederic Cirou/PhotoAlto/Getty Images
Umschlaggestaltung: Nele Schütz Design, München
Satz: KompetenzCenter, Mönchengladbach
Druck und Bindung: GGP Media GmbH, Pößneck
ISBN: 978-3-453-54518-2

www.heyne.de

Für Alexander, in Liebe,
gestern, heute und morgen …

Inhalt

Die kleine Nutte

22.53 Uhr. Es herrschte wenig Verkehr, er würde sein Ziel bald erreicht haben.

Andreas war nervös. Nur einmal in seinem Leben hatte er es bislang mit einer Professionellen gemacht. Damals, an seinem 21. Geburtstag. Es war das Geschenk seines besten Freundes und die Krönung ihrer kleinen Vergnügungsreise ins Amsterdamer Rotlichtviertel. Besonders prickelnd war die Erfahrung allerdings nicht gewesen, erinnerte er sich, was vermutlich daran lag, dass er sich abgemüht hatte, erst der Prostituierten einen Orgasmus zu verschaffen, bevor er selber fertig wurde. Was ihm auch gelang. Jedenfalls war er jahrelang dieser Meinung gewesen. Bis er dann – viel später – seiner Frau die Geschichte erzählt und sie ihn dafür ausgelacht hatte. »Das glaubst du doch wohl selbst nicht«, sagte sie. »Die hat einfach ihren Job gemacht und wollte, dass du kleines Greenhorn endlich fertig wirst. Ich fürchte, da bist du jahrelang einer Illusion erlegen …« Dabei hatte sie auf diese typisch mitleidige Art gelächelt, wie Frauen sie für jene Momente reserviert haben, in denen sie ihren Männern eine gewisse geistige Unterbelichtung attestieren wollen.

22.56 Uhr. Andreas musste lächeln, als er an seine Frau dachte. Nina war ein anstrengendes kleines Biest. Und wundervoll. Er liebte sie abgöttisch. Nur im Bett lief nicht mehr viel zwischen ihnen. Sie brachte er zwar wirklich zum Orgasmus – wenigstens da konnte er sicher sein, denn sie gab nie Ruhe, bis sie nicht ebenfalls gekommen war! –, aber trotzdem schliefen sie immer seltener miteinander. Eine zunehmende erotische Bequemlichkeit hatte sich ihrer bemächtigt. Andreas vermisste die durchvögelten Nächte, die Wildheit, den hemmungslosen Sex … Und deshalb war er heute Abend hier.

22.57 Uhr. Er bog in die Umgehungsstraße ein, an welcher, gut verborgen von einem Waldstück, ein unbeleuchteter Parkplatz lag. Seit vielen Jahren diente dieser als inoffizieller Straßenstrich für verschiedenste »Liebesdienerinnen« jeden Alters, die dort mit ihren Autos auf Freier warteten. Da er nicht von der Hand eines bestimmten Zuhälters regiert wurde, war er sozusagen Niemandsland, und es kam immer wieder zu gewalttätigen Revierkämpfen. Obwohl die Polizei in regelmäßigen Abständen versuchte, den Parkplatz zu »säubern«, war ein Besuch dort riskant. Das erhöhte für Andreas allerdings nur den Reiz des Abenteuers, denn dieser Parkplatz war sein Ziel.

22.59 Uhr. Heute war eine besondere Nacht, heute würde er alle Register ziehen. Von Routine und Langeweile keine Spur. Er würde mit einer aufreizenden, willigen *kleinen Nutte* in ihrem Auto verschwinden, eine supergeile Nummer schieben, und *sie* würde auch etwas davon haben, dafür würde er schon sorgen!

23.00 Uhr. Er erreichte die Abzweigung, drosselte das Tempo seines schwarzen BMWs und bog ab. Totenstill und verlassen lag der Parkplatz da, lediglich am entfernten hinteren Ende stand ein einzelner Wagen, vom diffusen Mondlicht schwach beleuchtet. Ein ziemlich lässiger Mercedes 300 SE aus den 80er Jahren, silbergrau metallic, wie auch sein Nachbar einen fuhr. Das Auto war unbeleuchtet, doch ein gut sichtbares rotes Licht hinter der Windschutzscheibe gab eindeutige Auskunft. *Alles, was er brauchte.* Sein BMW rollte langsam über den einsamen Parkplatz.

Als die Frau das Geräusch des herannahenden Wagens vernahm, spähte sie aufmerksam in die Dunkelheit. Es war allgemein bekannt, dass die Polizei erst vor wenigen Tagen eine groß angelegte Razzia auf dem Parkplatz veranstaltet hatte – unter reger Anteilnahme der örtlichen Presse. Deshalb war sie hier heute völlig allein, und das machte ihre Situation nicht eben ungefährlich. Sie beobachtete den sich nähernden BMW. *Entwarnung:* Keine Polizei, keine »Konkurrenz«, kein Ärger.

Die Frau ließ die Zentralverriegelung aufschnappen, stieg aus und lehnte sich betont lasziv an den Wagen. Ihr Outfit war sehr aufreizend und ausgesprochen vulgär. Ein knallroter Lack-Minirock, der kaum ihren Hintern bedeckte, dazu eine knappe schwarze Satin-Korsage, aus der ihre hübschen Brüste oben fast herausfielen. Die langen, schlanken Beine, umhüllt von halterlosen Netzstrümpfen, steckten in schwarzen, hochhackigen Lederstiefeln mit langem, schmalem Schaft bis unmittelbar unter die Knie.

Die Stiefel passen nicht richtig dazu, dachte Andreas, die sehen zu teuer aus. Er parkte einige Meter von dem Mercedes entfernt und ging zögernd auf sie zu.

Plötzlich musste er daran denken, wie er seine Frau kennen gelernt hatte. Und wie wunderschön sie am Tag ihrer Hochzeit aussah. Sie trug ein weißes Kleid. Weiß, die Farbe der Unschuld. Dabei war sie ein richtiges Luder, konnte nie genug von ihm bekommen, damals …

Schluss damit! Er blendete die irritierenden Gedanken an Nina aus. Sie hatte hier nichts verloren.

Die Nutte stieß sich von ihrem Wagen ab und machte ein paar Schritte auf ihn zu. Erst schien sie ein wenig unsicher zu sein, doch dann stellte sie sich mit vorgerecktem Busen und wiegenden Hüften provozierend zur Schau.

»Hallo Süßer«, sprach sie Andreas mit tiefer gelegter Stimme an und taxierte ihn, rhythmisch kaugummikauend, aus dunkel umrandeten Augen. Sie sah hübsch aus, trotz ihres auffälligen Make-ups. Ihr langes, dunkles Haar war zu einem sehr hoch angesetzten Pferdeschwanz, einer »Disco-Palme«, frisiert.

Die Stiefel haben Klasse, befand Andreas, aber der Rest ist echt unglaublich billig. Eine richtige Vorzeigehure.

Die Frau ließ eine mächtige Kaugummiblase platzen.

»Was denn, Süßer, biste einsam? Mit mir kannste ’ne Menge Spaß haben!« Sie lächelte ihn verführerisch an. »Normal kriegste für sechzig, Französisch für dreißig, Handarbeit für zwanzig. Das Komplettprogramm kost’ hundert Euro. Wie wär’s?«, leierte sie ihr Sprüchlein herunter.

Für einen Moment drohte ihn die Realität einzuholen. Trotz ihrer stolzen Preise klang sie wie eine billige Straßenhure aus einem noch billigeren Film. Er war plötzlich schrecklich gehemmt, kam sich blöd vor, kriegte kein Wort raus. Als in der Ferne ein Auto vorbeifuhr, zuckte er vor Schreck zusammen. Nicht auszudenken, wenn ihn hier jemand sah!

»Komplett«, stieß Andreas eilig hervor.

Wie krank!, dachte er dann. Was mache ich eigentlich hier?

Die Frau streckte die Hand aus. »Vorkasse, Süßer! Und dann darfste dir aussuchen, wie ich heiße.«

Andreas kramte einen 100-Euro-Schein aus seiner Geldbörse, den die Frau sofort in einem winzigen beutelförmigen Handtäschchen aus schwarz glänzendem Stoff verschwinden ließ.

Sie spuckte ihren Kaugummi in hohem Bogen über seine Schulter. »Und, wie willste mich nennen?«, fragte sie, während sie die hintere Wagentür öffnete.

»Kleine Nutte«, flüsterte Andreas rau, »wenn's dir nichts ausmacht, einfach nur *kleine Nutte.*«

Der Rücksitz des Mercedes, den sie mit einem großen, weißen Frotteehandtuch abgedeckt hatte, war angenehm geräumig. Das rote Licht im Fenster entpuppte sich als enorme Taschenlampe, ein Modell aus dem Baumarkt, umwickelt mit einem roten Seidentuch.

Als sie sich neben ihn setzte, spreizte sie die Beine gerade weit genug, um ihm zu zeigen, dass sie keinen Schlüpfer trug. Der schwarze Abschluss der Netzstrümpfe hob sich in der schummerigen Beleuchtung scharf von ihrer Haut ab. Als er gierig zugreifen wollte, klopfte sie ihm jedoch auf die Finger und zwang ihn zurück in die Polster.

»Langsam, Süßer«, gurrte sie, »deine *kleine Nutte* will's dir richtig schön machen ...«

Ihre mit schimmerndem Gloss üppig geschminkten Lippen formten sich zum dekorativen Schmollmund, sie hob die Brüste aus der knappen Korsage und kratzte mit ihren dunkelrot lackierten Nägeln aufreizend über das feste Fleisch. Prompt stellten sich die Brustwarzen auf. Sie zwirbelte sie zwischen den Fingern und reckte sich dann zu Andreas hinüber, um ihm die Knospen nacheinander in den Mund zu schieben. Er saugte an ihnen, viel zu fest. Sie lachte leise.

»Langsam, Süßer«, wiederholte sie, sich ein Stück von ihm zurückziehend. Dann griff sie nach seinem Gürtel und öffnete routiniert die Schnalle. Es folgten der Hosenknopf, der Haken, mit einem kurzen Ruck auch der Reißverschluss, und dann beugte sie sich hinunter. Andreas spürte ihren heißen Atem in seinen Hosenschlitz kriechen.

»Was haben wir denn da für einen bösen Jungen?«, fragte sie neckisch. »Hast ja gar keine Unterhose an!« Sie griff zu und holte mit schnellem Griff seinen einsatzbereiten Schwanz heraus. »Und was für einen *großen*, bösen Jungen …«

Mit geübtem Griff begann sie ihn zu massieren, in langen, harten Strichen. Wahrlich, die *kleine Nutte* wusste, wie man einen Mann anfassen musste! Er lehnte sich im Sitz zurück und ließ sich von ihr wichsen. Sie verstand ihr Handwerk, das musste man ihr lassen: Schon spürte er, wie seine Eingeweide sich zusammenzogen – ein untrügliches Zeichen dafür, dass er sich auf der Zielgeraden befand.

Das ging zu schnell, er hatte schließlich das Komplettprogramm bezahlt! Andreas bremste ihren pumpenden Arm ab.

»Jetzt mach du mal langsam«, befahl er, »sonst ist gleich alles vorbei.« Er zog sie an sich, sein Mund suchte nach ihren Lippen, doch sie drehte schnell den Kopf weg, und er erwischte nur ihr Ohr.

Klar, dachte er, Professionelle küssen ja nicht. Stattdessen ein leichter Biss in ihre Halsbeuge. Er konnte fühlen, wie sie erschauerte, auf ihren Armen stellten sich die Härchen auf. Ermutigt fuhr Andreas mit den Händen ihre Beine entlang, griff unter das Nichts von einem Rock und ertastete ihre weiche, rasierte Spalte. Hörte den erstickten Seufzer.

Na also, das lief ja wie geschmiert.

In diesem Moment packte sie seine Handgelenke und schob ihn energisch von sich.

»He, was machst du denn?«, fragte sie mit reichlich belegter Stimme. »So läuft das hier nich'.«

Voller Genugtuung registrierte er, dass sie ziemlich erregt zu sein schien. »Pass mal auf, du *kleine Nutte*, ich habe das Komplettprogramm bezahlt«, bestimmte er, »und wenn ich dich anfassen will, dann fasse ich dich an!«

Andreas rang kurz mit ihr, um seine Hände zu befreien – und fasste sie an.

Eindeutig drückte er die richtigen Knöpfe. Es dauerte nicht lange, und die Frau lag mit weit gespreizten Schenkeln vor ihm, ihr Becken hob und senkte sich, während er abwechselnd mit Fingern und Zunge ihr feuchtes Geschlecht bearbeitete. Er war ja keine 21 mehr, hatte schließlich was gelernt in all den Jahren! Wenn er es hier und heute mit dieser *kleinen Nutte* trieb, dann sollte sie dabei so richtig scharf auf ihn sein. Anders machte ihn die ganze Sache nicht an.

Hoppla … Da hatte er wohl einen Moment nicht aufgepasst! Er fickte sie kräftig mit zwei Fingern, leckte dabei genüsslich ihren Kitzler, und plötzlich fühlte er ihr nasses Fleisch konvulsivisch zucken, während ihr Hecheln in lautes, hemmungsloses Stöhnen überging.

Unglaublich, wie die abging! So was hatte er schon lange nicht mehr erlebt.

»Süßer, was machst du denn für Sachen …«, murmelte die *kleine Nutte* mit weicher Stimme. Dann richtete sie sich auf und drückte ihn erneut sanft, aber bestimmt in den Sitz. Sie kramte in der Mittelkonsole herum und riss gleich darauf ein Kondompäckchen auf.

»Ach komm«, murrte Andreas, »lass doch das Ding stecken!« Seine Erektion war so stramm, so schön, so *geil*, er hatte überhaupt keine Lust, einen lästigen Gummi da drüberzustülpen.

»Nee, Süßer«, erwiderte sie bestimmt, wieder ganz Herrin der Lage, »ohne Pariser kannste vergessen. Mach ich nich'!« Mit diesen Worten nahm sie das Kondom geschickt zwischen ihre Lippen und senkte den Kopf über seinen Schwanz.

Andreas verzichtete auf weitere Einwände, ließ sie einfach machen. Ihre alberne Frisur entpuppte sich als außerordentlich vorausschauend gewählt, erlaubte sie ihm doch, jeden Augenblick ihrer herrlichen oralen Kunstfertigkeit auch visuell zu genießen. Die »professionelle« Methode, ein Präservativ mit dem Mund überzurollen, entpuppte sich dabei als total abgefahrenes Gefühl, denn das gab dem Blow-Job eine ungewöhnlich anonyme Note. Zudem war die *kleine Nutte* auch hierbei außerordentlich virtuos. Ein idiotischer Anflug von Eifersucht überkam ihn, als er sich kurz überlegte, wo sie das wohl gelernt haben mochte. Dann dachte er nichts mehr, weil die Art, wie sie ihn mit ihren Lippen und der Zuge bearbeitete und dabei sanft seine Eier massierte, ihm auch das letzte im Kopf verbliebene Blut zwischen die Beine zog. Kurz bevor er jedoch wieder in die Zielgerade einbiegen konnte, hob sie den Kopf.

»Und jetzt sag, wie willst du mich?«, fragte sie heiser und leicht außer Atem.

Die Hose hing ihm um die Knöchel, sein Hemd war hoch- und er im Sitz ganz weit heruntergerutscht. Es fiel ihm ziemlich schwer, sich zu artikulieren.

»Reite mich ...«, murmelte er und dann, deutlicher: »Reite mich, du *kleine Nutte!*«

Ihr Blick war leicht verschleiert, als sie ihren Körper über ihm in Position brachte. Mit eisernem Griff umklammerte sie seinen Ständer an der Wurzel, führte ihn sich langsam ein. Sie war sehr feucht. *Und jeden einzelnen Cent wert …*

»Du machst mich so scharf, so unglaublich scharf …«, keuchte die *kleine Nutte*, als sie tief im Sattel saß, und die Gewissheit, dass sie die Wahrheit sagte, gab Andreas einen zusätzlichen Kick. Er fand sich ziemlich gut.

Dann ritt sie ihn, aber hallo, und wie sie ihn ritt!

Die Hände hatte sie schwer auf seine Schultern gestützt, seine Hüften mit ihren Schenkeln gegen das Polster gepresst, und ihr Schoß bewegte sich in aufreizend trägem Tempo auf und ab. *Wahnsinn!* Das war ein Gefühl, als sauge sie ihm das Rückenmark aus … Wann immer er sie antreiben wollte, hielt sie erbarmungslos mitten in der Bewegung inne, sodass Andreas dachte, seine Eier müssten ihnen jeden Moment um die Ohren fliegen. Sobald er sich – schwer atmend – wieder ihrer Kontrolle unterwarf, setzte sie den lustvollen Ritt präzise im von ihr bestimmten Tempo fort.

Langsam schaukelnder Schritt, erregend, quälend. Gezielter, harter Trab, bei dem ihre Brüste wild herumhüpften, und dann, *endlich*, der geschmeidige Galopp, mit dem sie sich in Richtung Paradies vögelten.

Der schwere Wagen auf dem dunklen Parkplatz schaukelte wie ein Schiff in Seenot, die Scheiben beschlugen, und natürlich bemerkte keiner von beiden das herannahende Auto, dessen Scheinwerfer über den Mercedes huschten.

Andreas war nun unwiderruflich auf der Zielgeraden. Sein Gesicht in den Brüsten der *kleinen Nutte* vergraben, fühlte er einen Wahnsinnsorgasmus auf sich zu rollen. Seine Eingeweide schmolzen, seine Zehen spreizten sich bereits …

In diesem Moment hämmerte von draußen jemand brutal an das rückwärtige Fenster.

»Sofort raus aus dem Wagen!«, rief eine männliche Stimme. »Langsam aussteigen und Hände aufs Dach!«

Abrupt hörte der Mercedes auf zu schaukeln. Die beiden starrten sich erschrocken an, und Andreas war es, als hätte man ihm einen Eimer Eiswasser über den Steifen geschüttet. *Verdammt ... was für ein beschissenes Timing!*

»Wer ist das?« Sie wischte mit der Hand ein kleines Guckloch in die beschlagene Scheibe. »Scheiße, Polizei!«

Hektisch brachten sie ihre Klamotten in Ordnung. Andreas kam sich unglaublich lächerlich vor, als er mit hochgereckten Hüften versuchte, sich die Hose wieder anzuziehen und sein halbsteifes, schmerzendes Glied darin zu verstauen. Den Pariser feuerte er frustriert in den Fußraum. Aus dem Augenwinkel sah er, wie sie einen Slip aus der Mittelkonsole fischte und anzog, bevor sie den Rock glatt strich und ihren Busen in das Oberteil zurückstopfte.

Sein Beschützerinstinkt erwachte. »Hör mal, dir passiert schon nichts. Wir sagen denen einfach ...«

»Wird's bald, ihr Turteltäubchen?«, erklang unter erneutem Hämmern gegen das Fenster die herrische Stimme. »Langsam aussteigen und Hände auf das Wagendach!«

Wie Schwerstkriminelle wurden sie von zwei uniformierten Beamten auf Waffen und Drogen untersucht. *Klappe halten, Beine auseinander.* Dann derbe, tastende Griffe, 1000mal gesehen im Fernseh-Krimi und heute real, gnadenlos ausgeleuchtet von den grellen Halogenscheinwerfern des Polizeiwagens. Es war eine gemischte Streife. Der Mann kümmerte sich um Andreas, während die Polizistin sich die Frau vornahm. Als die Leibesvisitation nichts zutage förderte, durften sie ihre Arme herunternehmen und sich umdrehen.

Absurde Situation, dachte Andreas, während er die beiden unauffällig musterte. Die Polizistin, eine dünne, farblose Blonde, wirkte irgendwie unangenehm berührt, so als hätte sie lieber nicht stören wollen.

»Weisen Sie sich aus«, blaffte ihr dicklicher Kollege in diesem Moment. Der war ganz in seinem Element. Ein grober Klotz. Sicherlich hätte er sich diese *kleine Nutte* am liebsten eigenhändig vorgenommen, so wie er sie mit seinen schmalen Schweinsäuglein anstierte.

Andreas angelte nach seiner Brieftasche. »Das sieht für Sie sicher ziemlich eindeutig aus«, versuchte er eilig mit verbindlichem Lächeln die Lage zu entschärfen, »aber eigentlich ist alles ganz anders! ... Das ist nämlich meine Frau, wissen Sie! Wir sind verheiratet ...« Er reichte dem Beamten seinen Personalausweis.

Der Bulle stieß ein meckerndes Lachen aus: »Ihre ... Frau, ja? Sie halten sich wohl für besonders schlau!« Sein Gesicht bekam einen lauernden Ausdruck. »Und, *Frau Gemahlin*, wo sind deine Papiere?«

Die Angesprochene machte ein betretenes Gesicht und wühlte pro forma ein wenig in ihrem kleinen Handtäschchen, ohne allerdings einen Blick hineinzuwerfen. Sie trug, für alle deutlich sichtbar, keinen Ehering. Entschuldigend erklärte sie, sie habe ihren Ausweis gerade leider nicht zur Hand, da er nicht in diese Tasche gepasst hätte. Aber sie beide seien wirklich ein Ehepaar.

Ihr herzallerliebster Augenaufschlag perlte an dem Polizisten so spurlos ab wie Regen von einer Ölhaut. Er blähte sich auf und machte einen drohenden Schritt auf sie zu.

»Na, so ein Pech«, spottete er, »dann können wir den Wahrheitsgehalt dieser kleinen Geschichte ja leider nicht überprüfen. Und auch nicht, ob der schicke Schlitten hier überhaupt auf dich zugelassen ist.« Seine Kollegin verschwand mit Andreas' Personalausweis in Richtung Polizeiwagen. Mit Geringschätzung in der Stimme wandte der Dicke sich erneut seinem Opfer zu.

»Verheiratet, dass ich nicht lache!«, zischte er. »Wo kämen wir denn da hin, wenn ehrbare Ehefrauen so aussähen wie du?« Sein verächtlicher Blick wanderte genüsslich über ihre verrutschten Netzstrümpfe, den verdrehten roten Lackminirock, das offenherzige Oberteil und den großzügig verschmierten Lipgloss. »Schau dich doch an, du *kleine Nutte*, du hast ein Preisschild auf jedem verdammten Körperteil!« Er spuckte vor ihr aus. Sie blickte unwillkürlich an sich herab, und Andreas wurde endlich laut.

»Reden Sie gefälligst nicht so mit meiner Frau!«, fuhr er den Beamten an. »Sie wissen schließlich gar nicht, was ...«

Die Polizistin kam zurück. »Er ist sauber«, berichtete sie, »Andreas Bergmann. Und was den Mercedes angeht, der ist nicht auf einen weiblichen Halter eingetragen, sondern auf einen gewissen Herrn Joachim Held, ebenfalls keine Vorstrafen.«

Darauf hatte der Wichtigtuer in Uniform nur gewartet. Ehe Andreas reagieren konnte, packte er die *kleine Nutte* roh am Arm und schubste sie zum Polizeiwagen. »Dann kommt das Fahrzeug erst mal in Sicherheitsverwahrung. Und die Bordsteinschwalbe hier nehmen wir mit!«

»Au, das tut weh!« Sie schrie auf, stolperte vor ihm her und versuchte dabei, sich aus dem erbarmungslosen Griff zu winden. Der kurze Rock enthüllte bei jedem Schritt den

Ansatz ihres appetitlichen runden Hinterns, und der Beamte schnalzte ordinär mit der Zunge, als sie sich bücken musste, um in das Polizeiauto zu steigen. Die Sohlen ihrer hohen Stiefel hinterließen scharf umrissene Abdrücke auf dem unbefestigten Boden des Parkplatzes: das Armani-Logo.

Andreas war beeindruckt, dass sie die Geistesgegenwart besessen hatte, sich ein Höschen anzuziehen. Keinen Ausweis dabei, die Kleine, aber einen Slip in der Mittelkonsole … *Versteh einer die Weiber!*

Mit einem dumpfen »Plopp!« fiel die Autotür hinter ihr zu.

»Das wird Konsequenzen haben! Lassen Sie sofort meine Frau los!«, brüllte er aufgeregt.

»Nun geben Sie doch endlich Ruhe«, sagte die Polizistin beschwichtigend. »Sie können froh sein, dass Sie mit 35 Euro Verwarnungsgeld davonkommen!« Sie schrieb eine Quittung aus und hielt sie Andreas hin. Verwirrt zählte er ihr die Scheine in die ausgestreckte Hand.

»Und jetzt gehen Sie nach Hause, wo Sie hingehören, zu Ihrer … Ehefrau.« Die Beamtin streifte den goldenen Ring an seiner Rechten mit einem ostentativen Blick, bevor sie sich umdrehte und ebenfalls in den Polizeiwagen stieg.

Andreas hüpfte herum wie Rumpelstilzchen. »Aber das hier ist doch meine …«, schrie er verzweifelt gegen den aufheulenden Motor an. Der grün-silberne Wagen schoss an ihm vorbei, und Andreas erhaschte einen letzten Blick auf das Gesicht der Frau auf dem Rücksitz. Täuschte er sich, oder saß dieses frivole kleine Miststück da und grinste?

Wild mit den Armen rudernd, rannte er den sich schnell entfernenden roten Rücklichtern hinterher. »So hören Sie doch! Wir haben heute Hochzeitstag … wir wollten einfach nur unserem Liebesleben ein bisschen auf die Sprünge helfen … *Scheiße!!!*«

Nach wenigen Metern ging ihm die Puste aus, und er blieb schwer atmend zurück. *Verdammt*, ihm tat die Lunge weh, und seine Eier fühlten sich nach dem grausamen Coitus Interruptus an, als wären sie mit Beton ausgegossen. Andreas stieß ein frustriertes Wutgeheul aus. Wahrhaftig, was für ein beschissenes Timing! Warum hatte die Streife nicht ein paar Sekunden später kommen können. Beziehungsweise er ein paar Sekunden früher!

Die Nummer mit der *kleinen Nutte* war wirklich unglaublich scharf gewesen. Viel besser, als er es je zu hoffen gewagt hätte. Was passierte wohl jetzt mit ihr?

Er versuchte, vernünftig nachzudenken, und ging zurück zu den beiden verlassenen Autos. Das achtlos weggeworfene Kondom fiel ihm ein – dieses »Corpus Delicti« wollte er lieber entfernen. Doch der Mercedes war abgeschlossen, und gleich würden sie kommen, ihn abzuholen. Sicherheitsverwahrung. *Verdammt, verdammt, verdammt!*

23.37 Uhr. Andreas hatte keine Ahnung, wie er das alles Herrn Held, ihrem netten alten Nachbarn, erklären sollte, dem Nina höflich angeboten hatte, seinen Wagen für ihn aus der Inspektion zu holen …

In diesem Augenblick hielt ein alter, grüner VW-Bus neben ihm. Am Steuer saß eine aufgetakelte, nicht mehr ganz junge Frau und schenkte ihm ein breites Lächeln.

»Na Süßer, so allein heut' Nacht …«

Andreas starrte sie entgeistert an. Dann brach er in hysterisches Gekicher aus, stieg in seinen BMW und verschwand in der Nacht.

Meine neuen Nachbarn

Ach ist das schön! Wie jeden Abend kann ich mich jetzt endlich wohlig in meinen riesengroßen, ausladenden Korbsessel lümmeln, meinen Körper in die unzähligen weichen Kissen kuscheln und mich mit einem leckeren Glas Rotwein und etwas zu knabbern dem Fernsehprogramm widmen. Wenn nichts Vernünftiges läuft, weiche ich auf Video oder DVD aus, ist ja heutzutage nicht so, dass man sich langweilen müsste.

Hallo, übrigens! Ich bin Julia, und ich wohne hier.

Ich würde mich als ziemlich normale Frau bezeichnen, was früher ein Ding der Unmöglichkeit gewesen wäre, denn natürlich dachte ich lange, ich sei etwas ganz Besonderes. Mittlerweile habe ich begriffen, dass jeder Mensch etwas Besonderes ist und daher irgendwie doch normal. Ich bin keine 20 mehr und mag das, weil ich in meinem Alter endlich als Frau begehrenswert bin, die neben ihren weiblichen Reizen auch eine interessante Persönlichkeit vorweisen kann. Ich habe einen gut bezahlten Job als Dolmetscherin bei einer großen Firma und kann mir damit mein Leben hübsch behaglich einrichten. Ich leiste mir diese schöne Wohnung, Designermöbel und teure Klamotten, gehe gerne gut Essen und fahre ein schickes Auto. Das Einzige, was ich nicht habe, ist Sex, denn ich bin Single.

Es ist nicht so, dass ich mir diesen Status Quo unbedingt ausgesucht hätte, nein, es hat nur einfach nicht richtig geklappt mit den Männern. Noch nie. Dabei kann ich mich durchaus sehen lassen: Vom Typ her ähnele ich ein bisschen der »Monica« aus der Fernsehserie *Friends.* Hat man mir zumindest schon öfter gesagt.

Jedenfalls, wenn ich so richtig verliebt bin, werde ich von den Typen regelmäßig wie Dreck behandelt, und andersrum, sobald ich merke, dass ein Mann total verrückt nach mir ist, langweilt er mich ganz schnell. Na ja, Sie kennen das bestimmt …

Sie könnten jetzt einwenden, dass man nicht unbedingt eine Beziehung braucht, um ein Liebesleben zu haben, klar. Allerdings sage ich Ihnen ehrlich: Das ist nicht mein Fall. Ich meine … verstehen Sie mich nicht falsch … ich gehöre nicht zu den Frauen, die einen Mann unbedingt lieben müssen, um mit ihm intim zu werden … Aber ich wüsste gar nicht, wie ich so was planen sollte. Ein Traumprinz fällt nicht einfach vom Baum, und beim Ausgehen jemanden aufzureißen, finde ich blöde und außerdem potenziell gefährlich. Deshalb ist mir auch das Internet als Kontaktbörse eher suspekt. Wer weiß, wen man sich da einfängt! Gut, ich gebe zu, bei meinem Gehalt könnte ich es mir durchaus leisten, einen »Profi« zu engagieren. Es soll ja heutzutage sehr seriöse Agenturen geben, bei denen man sich die Herren sogar anhand von Fotos aussuchen kann. Aber mal ehrlich … ich habe auch meinen Stolz!

So, und jetzt würde ich gern fernsehen, wenn Sie nichts dagegen haben. Das Programm ist allerdings grottenschlecht … Wird wohl wieder ein Abend aus der Konserve werden.

Ich habe mich für ein paar Folgen der Serie *Sex and the City* entschieden. Das sehe ich echt gerne, obwohl mir die Geschichten doch ziemlich an den Haaren herbeigezogen erscheinen. Wer kommt denn schon wirklich in solche Situationen? Mein Leben zum Beispiel ist nicht nur *praktisch* frei von Sex, sondern auch *theoretisch!* Ich kann nie mithalten bei Anekdoten, wie sie etwa meine Kollegin Susi am laufenden Band erzählt … Zum Beispiel während ihres letzten Urlaubs, als im Hotelzimmer über ihr ein Pärchen so heftig rummachte, dass nicht nur Susis Deckenlampe wackelte, sondern sie auch akustisch jedes Mal live dabei sein durfte. Ganz zu schweigen von dem Blitzer, der ihr vom Gleis gegenüber aus manchmal seine Kronjuwelen zeigt, wenn Susis Zug an diesem bestimmten Vorstadtbahnhof anhält. Überhaupt sind ganz viele Leute, die ich kenne, schon mal zufällig Zeuge geworden, wie jemand anders direkt vor ihren Augen Sex hatte. Sei es irgendwo am Strand, bei einem harmlosen Waldspaziergang oder sogar nach einer feucht fröhlichen Partynacht, mit einem ungehemmten Paar im selben Raum … Alles Situationen, bei denen Unbeteiligte die erotischen Aktivitäten ihrer Mitmenschen hautnah miterleben, »unplugged« sozusagen.

Nur mir passiert so was nie. Das ist allerdings auch besser so, denn ich fände das unappetitlich, glaube ich. Mir geht es wirklich gut auch ohne … Und außerdem – wo bleibt denn da die Privatsphäre!

Hmmm, der Wein ist ausgesprochen lecker, und ich hab's hier richtig schön. Gerade schuckele ich mich mit dem Po tiefer in die gemütlichen Kissen und wackle mit den Zehen zur Musik. Bei dieser Serie ist sogar der Vorspann richtig cool.

Nanu … Wieso brennt denn in der Wohnung im Haus gegenüber plötzlich Licht? Scheint endlich wieder jemand eingezogen zu sein. Ich muss mich mal ein Stück aus meinem Sessel rappeln und genauer hinsehen. Ist schon interessant, denn die Wohnung liegt genau vis-a-vis von meiner. Man will schließlich wissen, wer einem in Zukunft so auf den Teller gucken kann.

Durch die riesige Fensterfront, die vom Boden bis zur Decke reicht, kann ich bis in den letzten Winkel des großen Raumes sehen. Die Wohnung scheint nur aus diesem einen Zimmer zu bestehen. Ich erkenne eine offene Küche im amerikanischen Stil, und sogar das Badezimmer in der linken vorderen Ecke des Raumes wird nur durch eine halb hohe, weiß gestrichene Mauer vom restlichen Wohnraum abgetrennt. Ganz rechts steht das Bett. Es hat ein weißes Metallgestell, ist weiß bezogen, und darüber hängt dekorativ ein filigranes weißes Moskitonetz. Überall im Raum verteilt liegen große gemütliche Polster und Kissen herum, ebenfalls in weiß. Überhaupt haben sie offensichtlich eine Vorliebe für diese Farbe, meine neuen Nachbarn. Zwar ist der Boden mit Ahornholz ausgelegt, doch hat dies eine so helle Maserung, dass es ebenfalls fast weiß erscheint, und die Wände, sämtliche Möbel und Einbauten, selbst die Handtücher, die ich im Badezimmerbereich aufgestapelt sehe, strahlen schneeweiß. Nur die Umzugskisten, die noch herumstehen, stören das harmonische Bild.

Jetzt geht die Wohnungstür auf! Ein Mann und eine Frau kommen herein. Sie tragen einen großen, sehr schönen, ebenfalls weißen Holztisch, den sie vorsichtig vor der Küchentheke absetzen.

Also, ich muss Ihnen sagen, das trifft meinen Geschmack.

Schöne Menschen in schönem Ambiente! Ich schätze, die beiden sind in ihren 30ern, wobei er ein klein wenig jünger zu sein scheint als sie. Vielleicht sieht das aber auch nur so aus, denn er ist ein jungenhafter Typ. Dunkelblond, sehr groß, und, soweit ich das erkennen kann, mit einem tollen Körper. Den werde ich sicherlich oft mit einer Sporttasche sehen. Sie hat eine sehr weibliche Figur, mit Rundungen am rechten Fleck, und ein richtiges Puppengesicht. Ihr Haar ist blond, ziemlich lang und zu einem Pferdeschwanz gebunden.

Wie bitte? Nein, die beiden sind nicht weiß gekleidet, das hätte ich doch erwähnt. Sie tragen einfach abgewetzte Jeans und verschossene T-Shirts.

Jetzt kann ich die Folge von *Sex and the City* eigentlich direkt noch mal von vorne anfangen, weil ich gar nicht mitbekommen habe, worum es geht. Andererseits sind die Variationsmöglichkeiten ja nicht allzu groß, deswegen weiß ich auch so, was »Samantha« mit dem Jüngelchen vorhat, das sie gerade becirct. Und da legt sie auch schon los. Diese Frau ist wirklich gnadenlos. Kennen Sie *Sex and the City*? Dann können Sie sich ja ungefähr vorstellen, wie es auf meinem Fernsehbildschirm gerade abgeht. Junge, Junge …

Aber hallo, was ist das denn? Ich habe eben nur noch mal ganz kurz zu den neuen Nachbarn rüber geguckt, weil die Wohnung von meinem Sessel aus fast automatisch in meinem Blickfeld liegt, und weil die hell erleuchtete Fensterfront natürlich sehr einladend wirkt. Und nun raten Sie mal, was ich sehe??? Meine neuen Nachbarn weihen gerade ihren Küchentisch ein – die haben Sex! Vor meiner Nase! Das darf doch wohl nicht wahr sein! Und vorhin hatten wir es noch davon …

Darauf muss ich erst mal einen Schluck trinken.

Natürlich sehe ich nicht weiter hin, das gehört sich schließlich nicht. Sonst könnte ich ja auch messerscharf und in Farbe beobachten, wie der süße Typ im Stehen seine Freundin vögelt, die mit weit gespreizten Beinen rücklings auf dem jungfräulich weißen Tisch vor ihm liegt. Sie ist von der Taille an nackt, und seine Hosen sind irgendwo zwischen Knien und Knöcheln hängen geblieben. Wahnsinn, hat der einen süßen Hintern …

Was? Ja, ja, schon gut, ich gucke natürlich doch hin … Und das ist echt komisch, denn ich kann zwar die beiden nicht hören, aber dafür untermalt die gute »Samantha« mit ihrem TV-Lover die Szene sehr lebensecht.

Ehrlich gesagt, ich kann meinen Blick gar nicht abwenden … Das sieht aus, als hätten die beiden richtig viel Spaß! Die Frau hat ihre Augen geschlossen, den Mund dafür weit auf, und sie krallt sich mit beiden Händen an den Tischkanten neben ihrem Kopf fest, den sie wild von einer Seite zur anderen wirft. Der Mann stützt sich ebenfalls auf den Tisch, und ich kann genau erkennen, dass er dadurch mehr Stoßkraft bekommt. Seine kräftigen Armmuskeln spielen, und seine runden Pobacken ziehen sich bei jedem Stoß rhythmisch zusammen.

Mein Gott, ist das plötzlich warm hier. Oder schwitzen Sie auch so?

Da, jetzt wird der Mann schneller … Wow, der macht richtig Tempo, rammelt drauf los wie ein Karnickel. Aber der Frau scheint's zu gefallen, ihre Füße verkeilen sich mit den Tischbeinen. Gerade bäumt sie sich auf, und ihr Gesicht verzerrt sich, als hätte sie Schmerzen. Oh, was für eine Show! Jetzt scheint er auch so weit zu sein. Ich glaube, er schreit auf, und dabei wirft er den Kopf in den Nacken. Seine verkrampften Hinterbacken zittern ... und jetzt fällt sein Oberkörper erschöpft auf ihren. Ich kann von hier aus erkennen, wie heftig er atmet. Die Beine der Frau hängen schlaff herab, sie lächelt entspannt. Ich gebe zu, ich bin ein bisschen verstört – das war schließlich eine recht überraschende Änderung meines Abendprogramms ...

He, Sie sind ja immer noch da! Sagen Sie mal, Sie halten wohl auch nicht viel von anderer Leute Privatsphäre, was? Also ich für meinen Teil gehe jetzt ins Bad, und dann habe ich eine Verabredung mit meinem Kopfkissen. Gute Nacht.

Ach hallo, lange nicht gesehen! Ich dachte schon, meine neuen Nachbarn hätten Sie vertrieben. Sie erinnern sich doch an das attraktive Pärchen, das mir gegenüber ...? Ich kann Ihnen sagen, seit die drüben eingezogen sind, ist hier ganz schön was los. Ich komme zu nichts mehr, nicht mal zum Fernsehen. Dabei wartet noch die komplette DVD-Kollektion der US-Serie *Ally McBeal* auf mich. Hervorragende, saubere, lebensnahe Unterhaltung, aber ich kann mich einfach nicht konzentrieren. Auch meine Arbeit ist beeinträchtigt, denn selbst wenn ich nicht zu Hause bin, muss ich ständig an meine neuen Nachbarn denken. Neulich habe ich sogar in einem Geschäftsbrief, den ich für meinen Chef übersetzen sollte, anstatt »Organismus« das Wort »Orgasmus« eingefügt. Peinlich! Gott sei Dank habe ich das selber noch rechtzeitig gemerkt.

Sie fragen, was mich so beschäftigt? Na hören Sie mal, diese beiden sind einfach nur am Rummachen! Ich weiß schon gar nicht mehr, wo ich hinschauen soll! Was wir da neulich Abend gemeinsam beobachtet haben, war quasi nicht der Rede wert, die können noch ganz anders!

Gleich am nächsten Tag ging es so richtig los. Ich saß beim Frühstück in meinem kleinen Erker, ganz gemütlich mit meiner Zeitung, und es stellte sich heraus, dass ich dort gewissermaßen einen Logenplatz habe. Aus dem Augenwinkel konnte ich verfolgen, wie sie gemeinsam Kisten auspackten, Dinge in Schränke räumten und ihre weißen Lampen anbrachten. Kurz, sie waren sehr aktiv und kamen dabei wohl ins Schwitzen. Jedenfalls ließ er Badewasser einlaufen und spritzte jede Menge Schaumbad in die Wanne. Natürlich interessierte mich das nicht weiter, aber jedes Mal, wenn ich den Kopf von meiner Lektüre hob, hatte einer der beiden ein weiteres Kleidungsstück abgelegt. Dann verschwanden sie zwischen den riesigen Schaumbergen, die sich in der Badewanne türmten.

Ist Ihnen schon mal aufgefallen, dass so eine Tageszeitung auch nicht mehr das ist, was sie mal war? Steht nichts Interessantes drin. Finde ich jedenfalls.

An dem Tag war es besonders schlimm, deshalb ist es wirklich kein Wunder, dass ich mich so schnell von meinen Nachbarn ablenken ließ. Die alberten in ihrem Bad herum, pusteten den Schaum durch die Gegend und balgten sich, bis das Wasser über den Wannenrand schwappte.

Leider muss ich Ihnen sagen, dass der Schluck Pfirsichsaft, den ich mir unterdessen genehmigte, bestimmt nicht so süß schmeckte wie die leidenschaftlichen Küsse, die das Paar gegenüber bald auszutauschen begann. Plötzlich schien bei den beiden alle infantile Fröhlichkeit wie weggeblasen. Haarscharf über den Rand meiner Zeitung spähend, konnte ich erkennen, wie die Frau mit dem Kopf voraus untertauchte und diesen dann in gleichmäßigen Intervallen auf und nieder bewegte. Ungefähr in der Mitte der Wanne, wenn Sie verstehen, was ich meine! Der Mann hatte die Augen geschlossen und rutschte immer tiefer ins Wasser. Für einen Moment habe ich mich ernsthaft gefragt, was für ein Geschmackserlebnis die Frau dabei wohl hatte, und musste mir die seifige Badeschaum-Assoziation sofort mit einem großen Schluck Kaffee aus dem Mund spülen. Als ich dann langsam Angst bekam, die beiden würden bei ihren Wasserspielen ertrinken, stand der Mann auf und zog sie mit sich. Da habe ich ihn das erste Mal vollkommen nackt gesehen. Also abgesehen von den Schaumresten, die langsam an seinem göttlichen, muskulösen, nassen Körper hinunterglitten. Sein Penis sah ungeheuer eindrucksvoll aus, wie er da so im schrägen Winkel vor seinem Bauch hin und her wippte. Sehr prall und steif, aber das haben Sie jetzt sicher bereits vermutet.

Erst war mir nicht klar, was der Mann vorhatte, doch dann half er der Frau auf die halb hohe Mauer, die direkt an die Badewanne angrenzt, und sie setzte sich mit weit geöffneten Schenkeln darauf. Er umfasste ihre Brüste – sehr große, appetitliche Brüste übrigens – und verrieb mit kräftigen Strichen den Badeschaum, der ihre Brustwarzen verdeckt hatte. Sogar von hier drüben konnte ich erkennen, dass sie ganz hart waren. Die Frau lehnte sich zurück, das nasse Haar klebte auf ihren Schultern, einzelne Strähnen hingen bis auf die Mauer hinunter, und als der Mann dann mit dem Kopf zwischen ihren Beinen verschwand, habe ich wohl nicht mal mehr so getan, als würde ich in meiner Zeitung lesen. Genau genommen klebte ich fast mit der Nase an der Scheibe, um bloß nichts zu verpassen.

Jaaa, schon gut. Ich brauche Ihnen wohl nichts weiter vorzumachen! Aber wollen Sie mir erzählen, Sie hätten weggeguckt? Ich bitte Sie!

Leider konnte ich keine Details erkennen, denn der Mund des Mannes wurde von ihrem Schenkel verdeckt. Allerdings war die schnell wachsende Erregung der Frau schon allein faszinierend zu beobachten, und dazu bewies er eine geradezu beneidenswerte Ausdauer …

Entschuldigen Sie mal, ich weiß nicht, wie lange *genau* er ihr die Muschel geleckt hat, aber mein Kaffee wurde unterdessen kalt, und das sagt ja wohl alles! Nein … einen Orgasmus hatte sie nicht. Ich glaube, er hat sie absichtlich ein bisschen gequält, indem er sie mehrmals kurz davor brachte, aber nicht kommen ließ. Jedenfalls hat er sich dann auf den breiten Rand der Badewanne gesetzt, mit dem Rücken an die Mauer gelehnt und sie zu sich runtergezogen. Ich konnte richtig sehen, wie ihre Beine gezittert haben, als sie sich langsam rücklings auf ihn sinken ließ, und der Anblick, wie sein imposantes Glied Zentimeter um Zentimeter in ihr verschwand, wühlte mich schon ziemlich auf.

Die Frau stützte sich auf seinen Oberschenkeln ab und begann, ihr Becken lasziv hin und her kreisen zu lassen. Das sah sehr lustvoll aus, und ich gebe zu, dass ich mich dabei erwischte, wie ich im selben Rhythmus auf meinem Stuhl herumschaukelte. Der Mann lehnte sich erst mal zurück und ließ sie machen, aber dann packte er sie an den Hüften und zwang sie dazu, sich schnell auf und ab zu bewegen, wobei ihre Brüste wie verrückt herumhüpften. Nicht, dass Sie jetzt etwa denken, das wär's gewesen, aber nein! Als mir gerade bewusst wurde, dass mein Stuhl beängstigend knarrte, unterbrach sie plötzlich ihren Ritt, erhob sich, und beugte sich lang über die Mauer. Ich sehe es noch genau vor mir, wie auffordernd sie dabei ihren Hintern rausgestreckt hat. Er ist ebenfalls aufgestanden, hat sich hinter sie gestellt und mir damit einen ausgiebigen Blick auf sein nass glänzendes, dickes Ding gegönnt, bevor er es ihr wieder reingeschoben hat.

Wissen Sie was, es ist schon wahnsinnig lange her, dass ich selber Sex hatte, deshalb ist mir da wirklich das Wasser im Mund zusammen gelaufen. Und ganz unter uns, nicht nur im Mund …

Das war aber auch ein Anblick, wie der Mann es ihr jetzt von hinten besorgte. Er hat sie mit seinem Unterleib so richtig an die Mauer genagelt, und sie rieb sich dabei mit einer Hand selber zwischen den Beinen herum. Offensichtlich hat sie die Sache damit noch so richtig angeheizt, denn es dauerte nicht lange, und die beiden kamen ziemlich gleichzeitig zum Höhepunkt. Diese Technik hat mich übrigens total fasziniert, weil ich selbst noch nie darauf gekommen bin. Wenn ich mit einem Mann im Bett war, meine ich …

Als das Paar dann entspannt zurück in die Wanne rutschte, habe ich natürlich blitzschnell meine Zeitung wieder hochgerissen, um mich zu tarnen. Schon um den beiden jede Peinlichkeit zu ersparen – Sie wissen, was ich meine!

Na bitte, jetzt dürfte Ihnen klar sein, warum meine neuen Nachbarn mich so in Atem halten. Oder finden Sie, ich übertreibe? Eines ist ja wohl klar, wenn das hier *Ihre* Wohnung wäre, würde *Sie* eine solche Live-Show bestimmt auch nicht kalt lassen! So wie neulich Abend, als eigentlich die Wiederholung von *Pretty Woman* im Fernsehen lief, ein Film, nach dem ich ganz verrückt bin! Ich sitze also mit meinem obligatorischen Glas Wein in meinem Korbsessel, die Taschentücher für die mitfühlenden Tränen liegen auch schon parat. Ein schneller Blick zeigt mir, dass sich mein schöner Nachbar, nur mit einer zerschlissenen Jeans bekleidet, auf einer der weißen Liegewiesen lümmelt, während sie am Küchentisch auf einem der weißen Stühle sitzt und in einer Zeitschrift blättert. Wie immer brennen alle Lampen. Ich bin ehrlich gesagt erleichtert über dieses völlig normale Szenario, denn so kann ich wenigstens in Ruhe meinen Film gucken.

Natürlich komme ich nicht weit. Noch bevor Julia Roberts und Richard Gere in seinem Hotel angekommen sind, wird mein Blick magnetisch von einer Bewegung gegenüber angezogen, wo die Frau mit wiegenden Hüften auf den Mann zugeht und sich breitbeinig vor ihn stellt. Sie scheint mit ihm zu sprechen, denn er blickt überrascht zu ihr auf. Dann sehe ich ihn grinsen und den Reißverschluss seiner Jeans öffnen.

O mein Gott, denke ich, es geht schon wieder los!

Was sie zu ihm gesagt hat, kann ich nur erahnen, aber er holt tatsächlich seinen halbsteifen Penis heraus und fängt an, ihn mit der rechten Hand geübt zu bearbeiten. Ich sehe ganz deutlich seine ausgewachsene Erektion, und mein Körper springt sofort darauf an. Seit meine Hormone von diesem liebestollen Paar aus ihrem Dornröschenschlaf erweckt wurden, lässt sich das kaum mehr vermeiden.

Die Frau steht noch immer über ihm und sieht ihm zu, die Hände in die Hüften gestützt. Er lässt seine Faust immer schneller auf und ab fahren, als sie ihn plötzlich unterbricht und sich vor ihm auf den Boden hockt. Dann darf er seine Bewegung ganz allmählich wieder aufnehmen. Ich kann erkennen, wie sie sich über die Lippen leckt, während sie seinen Schwanz fixiert, dessen breite Kuppe er jetzt genüsslich massiert. Er ist beschnitten und sieht absolut makellos aus. Bitte? Sie fragen, wie ich solche feinen Details erkennen kann? Ich habe eben gute Augen!

Ach, das glauben Sie nicht.

Na gut, ich gebe es zu: Ich hatte da noch so ein altes Opernglas im Schrank, das liegt jetzt immer auf meinem Beistelltisch und kommt zu neuen Ehren.

Also bitte, was heißt hier *ungeheuerlich?* Ohne das Ding würden mir ganz viele Feinheiten entgehen! Oder glauben Sie, ich hätte sonst erkennen können, wie die Frau ihm hingebungsvoll das Sehnsuchtströpfchen von der Eichel leckt? Vergessen Sie nicht, ich hatte bislang keine Erfahrung mit Situationen wie diesen, da möchte ich nichts verpassen!

Wo war ich? Ach ja, das Sehnsuchtströpfchen ... Ich sehe also, wie erregt der Mann bereits ist und wie sie ihm befiehlt, die Hände hinter dem Kopf zu verschränken. Sie senkt ihren Kopf über seinen Steifen und lässt die Zunge darüber gleiten. Erst nur sacht die Spitze, dann in voller Länge, nass und schwer. Der Mann hat die Augen geschlossen, sein Brustkorb hebt und senkt sich unter heftigen Atemzügen, und als die Frau ihn tief in den Mund nimmt, fängt er an, mit dem Becken begierig stoßende Bewegungen zu machen. Als wäre sein Schwanz ein Dauerlutscher, saugt und nuckelt sie an ihm herum. Es ist viel Spucke im Spiel, und jedes Mal, wenn sie den Kopf hebt, kann ich die pulsierende ... – Sagen Sie mal, irgendwie habe ich das Gefühl, ich schockiere Sie. Das tut mir leid, aber ich würde mir schon wünschen, dass Sie etwas mehr Verständnis für mich hätten! Außerdem dachte ich, Sie wollten es wissen!

Na gut, ich muss ja nicht so ins Detail gehen und beende die Geschichte damit, dass die Frau dem Mann völlig uneigennützig einen gewaltigen Orgasmus bescherte und ihn bis zum feuchten Schluss in ihrem Mund behielt, sodass kein Tröpfchen an die weißen Polster verschwendet wurde. Aber dann erzähle ich Ihnen auch nicht von der Revanche, die sie ein anderes Mal von ihm bekam. Da hat er ihr mit wohlbekannter Ausdauer das Döschen ausgeschleckt, und ich konnte durch das Opernglas genau erkennen, was für eine außerordentlich kunstfertige Zunge er besitzt. Ich dachte, sie hebt gleich ab. Das war ziemlich interessant. Und aufregend …

Wissen Sie, manchmal vermute ich fast, meine Nachbarn *wollen* beobachtet werden. Wobei ich mir das eigentlich nicht vorstellen kann, aber die leben hinter ihrer Glasfront nun mal einfach auf dem Präsentierteller. Was für mich ja durchaus von Vorteil ist: Ich sehe sehr viel weniger fern, seit die beiden gegenüber eingezogen sind.

Im Augenblick sitze ich zum Beispiel in meinem Erker am Tisch und tue mal wieder so, als würde ich Zeitung lesen. Das hat sich bewährt, weil ich hinter diesem Schutzschild aus Papier unauffällig alles beobachten kann, ohne dass meine Nachbarn etwas davon merken. Wie bitte? Ach – jetzt wollen Sie doch wieder hören, was drüben los ist?!

Momentan nicht viel. Die Frau ist allein zu Hause. Vorhin haben sie noch gemeinsam geputzt, alle weißen Kerzen in den Leuchtern erneuert und das Bett mit frischen, blütenweißen Laken bezogen. Er ist dann weggegangen, vielleicht einkaufen oder so, weil heute Samstag ist.

Gerade steigt sie übrigens aus der Dusche. Schade, dass Sie das nicht sehen können, ihr Körper ist nämlich wirklich ausgesprochen reizvoll. Sie stellt ein Bein auf den Rand der Badewanne und spreizt dadurch weit ihre Schenkel. Was hat sie vor? Ach, jetzt kann ich es erkennen: Sie hält einen Rasierer in der Hand und fängt an, sich das feine blonde Schamhaar zu stutzen. Ihr Venushügel ist ohnehin immer sehr akkurat frisiert, aber jetzt will sie sich offenbar komplett die Spalte rasieren. Oh, ist das sexy! Sie steht mir direkt zugewandt, und es ist etwas schwierig für mich, gleichzeitig die riesige Zeitung und das Opernglas zu halten, aber es lohnt sich. Noch nie habe ich in Natura so deutlich das Geschlecht einer anderen Frau gesehen, und jetzt – perfekt von der Morgensonne ausgeleuchtet – serviert meine Nachbarin mir ihres förmlich auf dem Silbertablett. Ich kann genau erkennen, wie sie mit der freien Hand immer wieder die Haut ihrer Schamlippen spannt, um jeden verborgenen Winkel zu erreichen. Zwischendurch streichelt sie sich, um letzte Härchen zu ertasten, doch ich kann erkennen, dass diese Berührungen ihr auch Lust verschaffen.

Haben Sie schon mal Ihre Zunge ganz sacht über die samtige Haut einer Aprikose gleiten lassen? Ich schon, und ich bin sicher, diese weiche Muschi dort fühlt sich genauso an …

Die Frau hat den Rasierer weggelegt und spritzt sich gerade reichlich Körperlotion in die Hand, um sie sorgfältig zwischen ihren Beinen zu verreiben. Die Augen hat sie geschlossen, ihre Hand gleitet hin und her, umkreist dann ihre Klitoris. Die Knospe ist dunkelrot und geschwollen. Ich kann nicht anders, ich muss die Zeitung weglegen und mich anfassen. Bitte entschuldigen Sie mich!

Wie … Was …? Verdammt, wer klingelt denn jetzt und stört? Augenblick, bin gleich wieder da.

Das darf wirklich nicht wahr sein, außer einem blanko Briefumschlag auf meiner Fußmatte war überhaupt niemand da. Bestimmt die Aufschlüsselung meiner Heizkostenabrechnung, die wollte mir der Hausmeister längst raufbringen. Das ist übrigens so ein lüsterner Spannertyp. Der hat immer einen Röntgenblick drauf, als könne er durch meine Klamotten gucken. Bah … Aber das tut ja eigentlich nichts zur Sache. Habe ich hier was verpasst? Oh, die Frau zieht sich schon an. Ist sie gekommen oder nicht? Ach, was für eine ärgerliche Unterbrechung!

Sie steht vor dem Spiegel und trägt dezentes Make-up auf. Es sieht aus, als hätte sie keinen Slip an, und ich gestehe, der Gedanke an ihre nackte, glatte Scham unter dem hauchzarten weißen Seidenkleid erregt mich schon wieder. Dabei fällt mir ein, dass ich unseren ekligen Hausmeister insgeheim im Verdacht habe, an meinen Höschen zu schnüffeln, wenn sie im Waschkeller auf der Leine hängen … Aber das braucht Sie nun wirklich nicht zu interessieren!

Ah, jetzt kommt *er* nach Hause. Im einen Arm trägt er einen Strauß weißer Calla, im anderen eine braune Papiertüte, die er auf der Küchentheke abstellt. Sie geht auf ihn zu, küsst ihn liebevoll und arrangiert dann die Blumen in einer hohen weißen Vase, während er einige Flaschen Wein aus der Papiertüte zaubert. Vielleicht bekommen die beiden ja Besuch?

Er zieht sich aus. Beziehungsweise um: Seine Straßenkleidung samt Shorts ersetzt er einfach durch eine Art schneeweißen Sarong, ein federleichtes, großes Tuch, das er sich lässig um die schmalen Hüften schlingt. Der Mann macht mich wirklich schwach, Sie können sich nicht vorstellen, wie unfassbar scharf er aussieht! Die Frau fragt ihn etwas, er nickt, antwortet, grinst dabei, und beide blicken auf die große Uhr, die in ihrer Küche hängt. Finden Sie jetzt nicht auch, dass das so aussieht, als erwarteten die jemanden?

Das könnte natürlich bedeuten, dass ich hier in meiner Loge heute auf eine ganz besondere Vorführung hoffen darf.

Vielleicht einen saftigen Dreier oder gleich Gruppensex? Das wäre phantastisch! Allerdings … ich will Ihnen ja nicht zu nahe treten, aber falls Sie immer noch so zart besaitet sind, verschwinden Sie wohl besser, wenn es drüben los geht …

Was heißt, ich soll endlich den Brief aufmachen, den ich vor meiner Tür gefunden habe? Was interessiert Sie meine Heizkostenabrechnung? Ja, der Briefumschlag ist weiß, na und?

Wie bitte? Nein, es … ist nur ein Schlüssel drin.

Ein Schlüssel an einem weißen Seidenband …

Was würden Sie denn jetzt tun?

Der Saubermann

Irgendetwas lief hier falsch, und zwar gewaltig! Tobias strich sich eine Haarsträhne aus der Stirn, auf der sich langsam, aber sicher ein feiner Schweißfilm bildete. Körperliche Arbeit war er nicht gewohnt. Nicht in diesem Sinne. Schließlich war er Nacktputzer, und das Letzte, was man bei diesen Jobs von ihm erwartete, war echtes Putzen! Im Moment allerdings lag er hier auf den Knien und schrubbte eine Badewanne – völlig unbeachtet! Ausgerechnet heute … So was war ihm wirklich noch nie passiert.

Obwohl er es eigentlich in dem Moment hätte wissen müssen, als sie ihm öffnete.

Barbara Meister. Der Name an der Tür stimmte mit seiner Auftragsbestätigung überein, und Tobias klingelte kurz. Nichts passierte. Er versuchte es erneut, diesmal hielt er den Knopf dauerhaft gedrückt. Das markerschütternd schrille Gebimmel blieb nicht ohne Wirkung, denn es näherten sich eilige Schritte, die Tür wurde geöffnet, und eine Frau stand vor ihm. Ganz offensichtlich schien sie niemanden erwartet zu haben.

Unfreundlich schnauzte sie: »Was ist denn?«

»Frau Meister?« Sie nickte, und daraufhin sagte er mit

bestem, professionellem Schmelz in der Stimme sein Sprüchlein auf, wie üblich: »Hier bin ich! Tobias, Ihr Saubermann für schmutzige Stunden.«

Die Frau sah ihn an, als habe er nicht mehr alle Tassen im Schrank, und fragte irritiert: »Wovon reden Sie?« Das klang eindeutig nicht besonders erwartungsfroh.

Tobias senkte die Stimme – nur ein klitzekleinwenig, um ihr mehr erotisches Fluidum zu verleihen – und erklärte verheißungsvoll:

»Ich bin der Nacktputzer.«

»Bitte???«

»Na, der Nacktputzer eben, das Geschenk ihrer Freunde! Von denen soll ich ihnen außerdem die besten Wünsche bestellen und viel Spaß bei einer wohlverdienten Pause. Meine Agentur hat doch diesen Termin mit Ihnen vereinbart, Frau Meister.«

Ziemlich ungnädig musterte sie ihn von Kopf bis Fuß und lüpfte dabei arrogant eine Augenbraue. In ihrem Gehirn schien es zu arbeiten, dann murmelte sie etwas, das wie » ...total vergessen« und » ...diese Spinner« klang.

Tobias' Laune, die schon vorher nicht die beste gewesen war, rutschte in den Keller. Der Termin hier würde völlig für den Arsch sein, so viel war klar. Und hatte er vorhin noch gehofft, ein besonders dickes Trinkgeld abzusahnen, indem er ganz nebenbei seinen heutigen Geburtstag erwähnte, so konnte er sich das wohl definitiv in die Haare schmieren. Falls ihn diese Frau überhaupt reinließ. Es war nämlich offensichtlich, dass sie nicht besonders viel für ihn übrig hatte. Unfreundlicher als eine strafzettelverteilende Politesse mit PMS und ungefähr so attraktiv wie eine Klobürste, stand sie ihm gegenüber. Am Körper trug sie nichts als ein ehemals weißes, etwas zerknittertes und viel zu großes Herrenhemd. Die geringelten, ausgeleierten Wollsocken an ihren Füßen sprachen ebenfalls Bände. Unter der deutlich ungekämmten Elektroschock-Frisur mochte sie zwar ganz hübsch sein, aber der Gesamteindruck war ziemlich schlampig. Und das, wo ihn die Damen normalerweise sexy aufgerüscht und mit makellosem Make-up erwarteten. Sie empfingen ihn als willkommenen Gast, nicht wie eine Mischung aus Zeugen Jehovas und Fußabtreter.

Frau Meister hatte währenddessen scheinbar einen Entschluss gefasst. »Dann komm von mir aus rein, wenn du schon mal da bist«, unterbrach sie unwirsch Tobias' missmutige Betrachtungen.

Er folgte ihr in die enge Diele, und für einen Augenblick hellte sich ihr Gesicht auf.

»Eigentlich ist das gar nicht schlecht«, überlegte sie laut, »ich muss mich nämlich auf eine Prüfung vorbereiten und komme wegen der Lernerei seit Wochen zu gar nichts mehr. Dementsprechend sieht's hier auch aus. Kann also nichts schaden, wenn du mal ordentlich Grund reinbringst.« Durch ihre wirren Haarsträhnen hindurch lächelte sie ihn dabei sogar fast freundlich an.

»So groß ist die Wohnung ja auch nicht. Nur das Badezimmer und der Wohn-/Schlafraum mit offener Küche. Die ist aber wirklich ein Schweinestall. Am besten fängst du im Bad an.« Sie wies auf eine Tür zu ihrer Rechten. »Und bitte, sei leise! Ich arbeite im Wohnzimmer und muss mich echt unheimlich konzentrieren.« Noch ein letztes, bestätigendes Nicken, dann marschierte die Frau durch eine weitere Tür in den Wohnbereich.

Tobias öffnete den Mund, wusste allerdings nicht, wie er

den Irrtum aufklären sollte, und glubschte ihr mit großen Augen hinterher. *Klasse …* Vermutlich sah er aus wie ein Karpfen hinter Glas. Oder wie ein 5-Dioptrien-Mann ohne Brille.

Da drehte sie sich noch mal zu ihm um. »Den Besenschrank mit allem Putzkram findest du neben dem Klo.« Sprach's und war verschwunden.

Tja, und jetzt wienerte er tatsächlich Frau Barbara Meisters Badezimmer. Ganz einfach, weil es wohl das Ende seiner Karriere als Nacktputzer bedeutet hätte, wenn er so mir nichts, dir nichts abgehauen wäre. Dieser Job verpflichtete ihn zwar zu keinerlei sexuellen Aktivitäten, aber von *Nicht putzen müssen* war in dem Vertrag mit seiner Agentur keine Rede.

Dabei hatte er doch noch versucht, das Missverständnis aufzuklären. Wie gewöhnlich hatte er sich im Badezimmer ausgezogen, seinen athletischen Körper – auf den er sehr stolz war – ausgiebig mit Babyöl eingerieben, bis er schimmerte, und sich den lächerlich winzigen Lendenschurz aus weichem Fensterleder umgebunden, der kaum über seinen Schwanz und die rasierten Eier reichte. Wie immer fand er sich selber zum Anbeißen. Mit einem federbewehrten Staubwedel hatte er schließlich nach kurzem Klopfen leise die Wohnzimmertür geöffnet.

»Ich wäre dann bereit«, verkündete er mit reichlich samtigem Vibrato in der Stimme, aber diese dumme Kuh hob nicht mal den Kopf. Sie saß an einem Tisch, der über und über mit Büchern, Tabellen und Papieren übersät war. Einen ringelbesockten Fuß hatte sie unter den Po gezogen, und das Hemd hing an ihr herunter wie ein alter Sack. Sie knabberte mit spitzen Zähnen an einem Kugelschreiber, die Augen in tiefer Konzentration zu Schlitzen verengt.

»Hmhm«, machte sie unbestimmt und hatte Tobias mit einer fahrigen Handbewegung aus dem Raum gewedelt, ohne ihn auch nur einmal anzusehen.

Unfassbar! Dafür polierte er jetzt den riesigen Spiegel über ihrem Waschbecken und kam von Sekunde zu Sekunde schlechter drauf, weil sich die Schlieren auf dem verdammten Glas mit jedem Wisch einfach nur neu verteilten. So ein Mist!

Tobias versuchte, sich mit dem erfreulichen Anblick seiner wohlproportionierten Muskeln unter der samtig braunen Haut aufzuheitern. Negativ. Dann starrte er in sein missmutiges Gesicht, das in diesem Moment weniger einem charmanten Sonnyboy als eher einem bockigen Kleinkind zu gehören schien. Hatte er das nötig? Scheiße, ja! Fakt war, dass keiner seiner Kommilitonen einen ähnlich entspannten, gut bezahlten Nebenjob – *normalerweise* entspannten Nebenjob – vorweisen konnte, bei dem es auch noch regelmäßig saftige Trinkgelder regnete.

Die Frauen, die er sonst mit seinen Besuchen beglückte, zeigten sich nämlich stets ausgesprochen dankbar. Er kam zu ihnen nach Hause, zog sich aus, feudelte dekorativ ein bisschen mit dem Staubwedel durch die Ecken und wurde behandelt wie ein König. Dabei achtete er darauf, all seine Schokoladenseiten zu präsentieren, besonders natürlich den strammen Arsch, der schon so mancher Kundin ein sehnsuchtsvolles Seufzen entlockt hatte. Obwohl sie ihn nicht mal berühren durften. Da war er straight!

Er konnte die mehr oder weniger eindeutigen Angebote,

die er im Lauf der Zeit bekommen hatte, schon gar nicht mehr zählen. Seine Saubermann-Nummer machte die Damen nämlich richtig rattig. Hingegossen saßen sie auf ihren Stühlchen, Sesseln, Sofakanten, folgten mit gierigen Blicken jeder seiner Bewegungen und bekamen feuchte Höschen.

Erklärtermaßen gehörte es nicht zu den Aufgaben der Nacktputzer, die Kundinnen zu ficken, aber ein entsprechendes Verbot war ebenfalls nie ausgesprochen worden. So hielten Tobias' Kollegen, für die dieser Job ein einziges sexuelles Schlaraffenland war, ihn allesamt für nicht ganz dicht, weil er selbst sich noch nie über eines dieser saftigen Pfläumchen hergemacht hatte.

Er fand das zu trivial. Belanglos. Primitiv. Da rührte sich nichts unter seinem Lendenschurz. Und selbst wenn die Kundin aussah wie einem Herrenmagazin entsprungen, interessierte sie ihn nicht mehr, sobald dieser hungrige, servile Blick in ihre Augen trat.

Weil er dies aber die Frauen nie spüren ließ, wurde er dennoch stets fürstlich entlohnt.

Die dämliche Ziege nebenan schien allerdings wirklich einen Sprung in der Schüssel zu haben. Wer erwartete schon ernsthaft von einem Nacktputzer, dass er *sauber machte?*

»Sag' mal«, unterbrach unerwartet eine messerscharfe Stimme seine mürrischen Gedanken, »wird das heute noch was?« Frau Meister stand in der Badezimmertür und beobachtete ihn. Das vormals zerzauste Haar hatte sie inzwischen glatt zusammengebunden. Hinter ihrem Ohr klemmte der angenagte Kugelschreiber.

Tobias, der gerade auf Knien den Fliesenboden schrubbte,

richtete sich provozierend langsam auf und blies sich zum zigsten Mal die lästige Haarsträhne aus der feuchten Stirn.

»Hier bin ich jetzt fertig«, entgegnete er sachlich, während er seinem Gegenüber die Pest an den Hals wünschte. In dem kleinen Badezimmer nahm sein fast nackter Männerkörper sehr viel Raum ein, wirkte besonders eindrucksvoll und aufreizend. Diese Frau schien indes seine Blöße nicht mal zu bemerken. Dafür blähten sich plötzlich ihre Nasenflügel.

»Du schwitzt«, stellte sie nüchtern fest. »Willst du was trinken?«

»Ja, gern.«

Sie verschwand, eine Kühlschranktür klappte, Gläser klirrten.

Sehr interessant, bei dieser Frau war offenbar der Geruchssinn empfänglicher als die Netzhaut. Tobias schnüffelte an sich und fand das satte Aroma von frischem Schweiß, gemischt mit feinstem Babyöl, prompt selber sehr appetitlich.

»Dein Mineralwasser steht hier drüben«, rief sie aus dem Wohnzimmer. Leider klang ihre Stimme dabei kein bisschen freundlicher als vorher.

Er griff nach Putzeimer, Lappen und Staubwedel, tänzelte auf nackten Sohlen hinüber und beschloss, sich noch nicht geschlagen zu geben. Schließlich wäre es einfach lächerlich, wenn er diese Kleine nicht um den Finger gewickelt bekäme.

Auf der Küchenanrichte stand, zwischen einem Stillleben aus Pizzakartons, leeren Flaschen, dreckigen Tellern und bräunlichen Bananenschalen, ein frisches Glas Wasser, das er in einem Zug austrank. Richtiges Putzen war verdammt anstrengend. Warum er sich dabei gar so ins Zeug legte, konnte er allerdings selbst nicht sagen.

Durch das große Fenster fielen die Strahlen der schräg stehenden Frühlingssonne wirkungsvoll auf seinen Luxuskörper, zeichneten jeden geölten Muskel nach. Das Nichts von einem Lendenschurz enthüllte mehr, als es verbarg ... und dieses Miststück gönnte ihm noch immer keinen Blick.

Langsam, aber sicher war Tobias ernsthaft beleidigt. Womit beschäftigte sie sich, das so unendlich viel spannender war als er? Warum begeisterte sie sich nicht wie all die anderen für den Anblick seiner perfekt geformten, nackten Hinterbacken? Er wusste, dass, wenn er sich bewegte, sie immer wieder seine gut entwickelten Eier zwischen den kräftigen Oberschenkeln hindurch erkennen könnte. Er wusste es, weil er seine Posen unzählige Male vor dem Spiegel bewundert hatte. *Warum* sprang diese Frau nicht auf ihn an?

Er reckte den Hals und spähte zu dem Tisch hinüber, an dem sie saß, konnte jedoch nicht mehr erkennen als Bücher mit ihm unverständlichen Titeln und seitenweise Papiere voller endloser Zahlenkolonnen.

In diesem Moment blickte sie auf. Er schenkte ihr ein strahlendes Lächeln.

»O Mann, das sieht echt kompliziert aus«, bemerkte er, Verständnis heuchelnd.

Sie warf ihm einen eisigen Blick zu.

»Wirst du fürs Quatschen bezahlt oder fürs Putzen?« Wenn sie bei diesen Worten nicht gerade ihre Brille aufgesetzt hätte, wäre ihm bestimmt sogar eine adäquate Antwort eingefallen. So aber konnte er sie nur sprachlos anstarren.

Das dunkelrandige, kantige Brillengestell in Kombination mit den straff zurückfrisierten Haaren verlieh der Frau eine vollkommen andere Ausstrahlung. Plötzlich wirkte sie nicht mehr zickig, sondern ziemlich streng.

Vielleicht stand sie ja einfach nicht auf Männer?! Das musste es sein! Er gratulierte sich gerade zu dieser tröstlichen Schlussfolgerung, als sie ihn erneut piesackte.

»Jetzt leg endlich los«, befahl sie. »Ich erwarte, dass hier alles blitzt und blinkt, wenn du fertig bist.«

Wie ferngesteuert fing Tobias an, die Möbel abzustauben und sie sogar feucht nachzuwischen. Ach was, überlegte er resigniert, das ist keine Lesbe, das ist einfach eine frustrierte Ziege! Passend zu ihrem Charakter liebte die Dame es offenbar nüchtern. Metall, geometrische Formen und kühle Farben dominierten den Raum. Neugierig sah er sich um, doch kein einziges Foto, kein privater Gegenstand verrieten etwas über die Bewohnerin.

Zerstreut feudelte er über einen schweren Beistelltisch aus Plexiglas, und als er dabei eine Staubwolke aufwirbelte, musste er niesen. Anstatt ihm »Gesundheit!« zu wünschen, fuhr Barbara Meister herum und funkelte ihn an.

»Hatte ich dir nicht befohlen, leise zu sein?«, fragte sie mit einer Stimme, die fast das Wasser in seinem Putzeimer gefrieren ließ.

»Entschuldigung, tut mir leid«, erwiderte Tobias hastig, nicht ohne dabei an seinem Verstand zu zweifeln. War er noch ganz dicht? Warum sagte er der Tante denn nicht endlich, was Sache war?

Sie musterte ihn von oben herab, was eine echte Leistung war, da sie immer noch auf ihrem Stuhl saß.

»Es heißt: Entschuldigung, *Frau Meister*«, diktierte sie schneidend, und in der nächsten Sekunde hörte Tobias sich verblüfft mit unterwürfiger Stimme ihren Befehl wiederholen:

»Entschuldigung, Frau Meister!«

Sie nickte gnädig.

Er erkannte sich echt nicht wieder, aber schließlich lief dieser Job auch völlig aus dem Ruder! Wenngleich die unnahbare Frau Meister immerhin eine interessante Abwechslung zu all den konzilianten Damen darstellte, die er sonst auf dem Silbertablett serviert bekam. Verstohlen grinsend fügte er sich in sein Schicksal, und als sie ihn kurz darauf wegen einer Lappalie erneut herrisch zurechtwies, stellte er plötzlich fest, dass er Gefallen an der Sache fand …

Unerwartet großen Gefallen sogar, denn mit einem Mal erschien ihm diese ungewöhnliche Kundin richtiggehend attraktiv. Aus dem Augenwinkel beobachtete er, wie sie die dicken Wollsocken von den Füßen streifte, kurz ihre Zehen mit den dunkelrot lackierten Nägeln lockerte und dann unter dem Tisch die nackten Beine ausstreckte. Das lange Hemd schob sich bis zu ihren Hüften hoch und entblößte ihre Oberschenkel, sodass Tobias sich unwillkürlich fragte, ob sie wohl einen Slip trug. Außerdem war ihr der Kragen des Hemdes weit über eine Schulter gerutscht, weil sie nachlässig nur die mittleren Knöpfe geschlossen hatte. Alles in allem ein sehr schönes Bild, aber leider erwischte sie ihn bei dessen Betrachtung.

»Du armseliger Spanner«, herrschte sie ihn an, »wusste ich doch, dass du nichts taugst!«

Er duckte sich unter ihrer Stimme, als hätte sie ihm eins mit der Peitsche übergezogen, und ebenso verblüfft wie peinlich berührt stellte er fest, dass er einen Ständer bekam.

Krampfhaft hielt er ihr den Rücken zugewandt, stand mit hängenden Schultern vor ihrem Schlafsofa, auf dem er gerade die Kissen zurechtgeschüttelt hatte.

Reglos und kühl musterte sie ihn, schien etwas zu erwarten. Er spürte, wie ihr Blick sich in seinen Rücken bohrte, und murmelte kleinlaut:

»Ich bitte um Verzeihung, *Frau Meister.*«

»Dreh dich um, wenn du mit mir sprichst. Ich kann dich nicht hören!«

Tobias wünschte sich weit, weit weg von dieser beunruhigenden Frau, die eine so bizarre Wirkung auf ihn ausübte. Er schämte sich in Grund und Boden, weil der Lendenschurz inzwischen von seinem Körper abstand wie ein Zeltdach. Sie schien davon jedoch keinerlei Notiz zu nehmen, als er sich im Zeitlupentempo zu ihr herumdrehte.

»Also! Was ist?«

Hilflos registrierte er, dass ihre barschen Worte seinen Schwanz immer weiter anschwellen ließen, und wiederholte eilig seine Entschuldigung. Vor Aufregung kippte ihm dabei die Stimme weg wie einem pubertierenden Jüngelchen.

Die Frau schüttelte den Kopf.

»So einfach ist das nicht. Auf die Knie mit dir! Erst wischst du den Fußboden, dann werden wir sehen, ob ich dir vergebe.«

Und Tobias rutschte auf allen vieren schrubbend über das Parkett.

Ihre Studien schienen sie plötzlich jedoch nicht mehr zu interessieren; vielmehr behielt sie ihn genau im Auge, triezte ihn mit gestrengen Anweisungen und sorgte so dafür, dass Tobias' peinliche Erektion, die im Takt seiner Putzbewegungen auf und ab wippte, härter als ein Besenstiel wurde. Jetzt bekam er endlich doch noch die gewünschte Beachtung, aber so hatte er sich das nicht vorgestellt. All die anderen Frauen mochten ihn kalt lassen, weil sie sich ihm gar zu willig anboten, aber in Frau Meister hatte er endlich seine *Meisterin* gefunden.

»Willst du unter dem Tisch etwa nicht sauber machen?« Abermals versetzte ihm die frostige Stimme einen elektrisierenden Schlag, und diensteifrig robbte er zu ihrem Arbeitsplatz.

»Doch, *Frau Meister*, natürlich, *Frau Meister!*«, stieß er hervor. Mittlerweile lief ihm der Schweiß in Strömen über das Gesicht, sein ganzer Körper glänzte feucht, weil er versuchte, sich über die körperliche Arbeit abzureagieren.

»Weitermachen! Das ist noch nicht sauber genug!«

Fügsam kroch Tobias immer weiter unter den Tisch, bis er zu ihren Füßen kauerte. Sie hatte ein Bein über das andere geschlagen, und er starrte hypnotisiert auf ihre nackten Schenkel, als sie langsam die Sitzposition änderte. Eng nebeneinander stellte sie nun die Füße auf dem Boden ab, schob mit einer Hand gleichzeitig langsam das Hemd ein Stück nach oben. Tobias traten fast die Augen aus den Höhlen, als sie die Schenkel etwas nach außen neigte, und für den Bruchteil einer Sekunde sah er ihre Möse. Nicht im Detail, aber immerhin konnte er erkennen, dass sie nackt war.

Schneller, als er in seiner unbequemen Haltung reagieren konnte, war Frau Meister jedoch aufgesprungen, um den Tisch herum geeilt und hatte mit einem schmalen, dünnen Buch seinem herausgereckten blanken Hintern einen schallenden Schlag verpasst.

Tobias stöhnte auf, zuckte hoch und knallte mit dem Kopf von unten gegen die Tischplatte.

»Raus da!«, befahl sie, und als er nicht reagierte, weil er viele bunte Sternchen sah, klatschte es ein weiteres Mal. Die Haut auf seinem Arsch fing an zu brennen.

»Hast du mich nicht verstanden? Raus da, du Waschlappen!« Wieder schlug sie ihn. Der jähe Schmerz schoss ihm durch den ganzen Unterleib und ließ seinen Schwanz lustvoll zucken.

Gehorsam krabbelte er unter dem Tisch hervor, kauerte vor Barbara Meister auf dem Boden und sah zögernd zu ihr hoch. Er wusste nicht mehr, wie ihm geschah. Sein Blick wanderte an ihren Beinen hinauf, glitt über das weiße Hemd und blieb an ihrem Gesicht hängen. Die Augen hinter den schmalen Brillengläsern musterten ihn herablassend.

»Komm her!«, befahl sie Tobias, der eifrig näher auf sie zu kroch, bis er unmittelbar vor ihr hockte und gierig versuchte, unter ihr Hemd zu spähen. Für einen Moment stand sie reglos, dann winkelte sie ein Bein an und hob es langsam vom Boden. Sie schien damit kein anderes Ziel zu verfolgen, als seine Bemühungen zu belohnen, denn nun konnte er zwischen ihren gespreizten Schenkeln die rasierten Schamlippen erkennen, die sich in der Bewegung verlockend öffneten.

Noch bevor er diesen Anblick allerdings richtig genießen konnte, stellte Frau Meister ihm abrupt den erhobenen Fuß auf den Kopf und drückte ihn unnachgiebig zu Boden.

»Habe ich dir etwa erlaubt, mich anzusehen?«

»Nein, Frau Meister.«

»Und???«

»Ich bitte um Entschuldigung, Frau Meister.«

»Gut. Ich befehle dir zu bleiben, wo du bist. Und nimm endlich diesen lächerlichen Schurz ab!«

Er kauerte mit gesenktem Kopf auf dem Fußboden, hörte, wie sie sich durch den Raum bewegte, eine Schublade öffnete und dann zum Tisch zurückging. Mit fahrigen Händen fummelte er den ledernen Knoten auf und legte den Lendenschurz ab. Sofort fühlte er sich sehr viel verwundbarer.

Da ertönte wieder ihre arrogante Stimme. »Jetzt darfst du mich ansehen.«

In sehr aufrechter Haltung saß sie halb auf der Tischkante und stützte sich mit einem Fuß auf dem Stuhl ab, über dessen Lehne unordentlich ihr Hemd hing. Sie war jetzt – bis auf die strenge Brille – völlig nackt. Neben ihr lag sein Staubwedel.

Tobias starrte sie an. Das war nicht die Frau, die ihm vorhin strubbelig und schlampig die Tür geöffnet hatte, das hier war eine Sexgöttin! Unwillkürlich fuhr seine Hand zu seinem Ständer, um die straff gespannte Vorhaut ganz zurückzuschieben. Er hatte das Gefühl, sie würde sonst unter der Belastung aufplatzen wie eine gekochte Wurstpelle.

»Es ist dir nicht gestattet, dich zu berühren!«

Ehe er noch begriff, was geschah, hatte sie blitzschnell nach dem Staubwedel gegriffen und versetzte ihm mit dessen Bambusstiel einen kurzen, gut gezielten Hieb auf die Finger.

Beinahe hätte Tobias in diesem Moment die Flucht ergriffen, denn der Schlag hatte wirklich verdammt weh getan – als sie plötzlich begann, mit den weichen Federn am anderen Ende ihrer Waffe sacht ihre Brüste zu streicheln. Der Schmerz war vergessen.

»Sieh her!« Die dunklen Nippel richteten sich auf, aber die Frau verzog keine Miene. Sie ließ sich die Federn über den Bauch wandern, über die Beine, die leise erzitterten. Davon abgesehen zeigte sie keinerlei Regung.

Tobias kniete vor dem Tisch und vergaß fast zu atmen, so sehr fesselte ihn ihre überraschende Vorführung. Sie war dazu übergegangen, das weiche Fleisch ihrer Scham zu liebkosen, blieb jedoch weiter völlig beherrscht. Denn obwohl das Federbüschel dort, wo es über ihre anbetungswürdige

Möse strich, langsam feuchte Ränder bekam, bewegte sich in ihrem Gesicht kein Muskel. Nur ihr Atem schien langsam etwas unregelmäßig zu werden. Was hatte sie bloß vor? Wollte sie ihn verrückt machen?

Die Dauererektion bereitete Tobias echte Schmerzen, aber aus Angst vor der Bambusrute wagte er nicht, noch mal Hand an sich zu legen.

»Wenn du etwas möchtest, dann musst du mich vorher darum bitten.« Ihre Augen hinter den Brillengläsern waren weit geöffnet und auf sein Geschlecht gerichtet.

Er schluckte. Seine Stimme klang gepresst, als er hervorstieß:

»Ich will mit Ihnen vögeln, Frau Meister! *Bitte!*«

Sie musterte ihn leicht amüsiert.

»Was du *willst,* interessiert mich nicht«, antwortete sie schlicht, »aber dafür erlaube ich dir jetzt, dich zu berühren.«

Mit einem tiefen Stöhnen umfasste er seinen prallen Schwanz und fing an, ihn fieberhaft zu reiben.

»Halt!!!«, maßregelte sie ihn jedoch sofort und hob drohend den Griff des Staubwedels. »Nicht so eilig. Ich wünsche, dass du es dir ganz langsam besorgst. Und du wirst erst dann kommen, *wenn ich es dir sage!*«

Tobias, der erschrocken zurückgewichen war, ließ seine Hand daraufhin nur noch sehr, sehr langsam an seinem Schaft auf und ab gleiten. Das war die reinste Folter, denn für gewöhnlich wichste er ziemlich schnell. Es ging schließlich nur darum, sich zu erleichtern, Druck abzubauen, und dieses erzwungene Zeitlupentempo steigerte bloß den Schmerz in seinen Eiern. Sein Arm zitterte schon, so sehr musste er sich zusammenreißen, nicht einfach drauflos zu pumpen, aber sie ließ ihn nicht eine Sekunde aus den Augen.

Als Frau Meister sich davon überzeugt hatte, dass er ihrem Befehl Folge leistete, legte sie den Staubwedel weg und langte hinter sich. Sie hielt jetzt einen sehr schlanken, glatten, schwarzen Vibrator in der Hand, den sie mit einem kurzen Griff in leise surrende Schwingungen versetzte. Sie versicherte sich der ungeteilten Aufmerksamkeit ihres Zuschauers und ließ den Dildo denselben Weg nehmen wie vorher die Federn. Zwischen ihren geöffneten Schenkeln angelangt, teilte sie die feucht glänzenden Schamlippen, führte sich den kleinen Freudenspender ein und bewegte ihn im gleichen trägen Rhythmus, in dem Tobias masturbierte.

Der stand Höllenqualen aus, wusste nicht, wie lange er noch standhalten würde, und konnte trotzdem den Blick nicht von dem glänzenden Stab abwenden, auf dem sich bei jedem Eintauchen mehr Nässe sammelte. Frau Meister erhob sich, kam auf ihn zu und ging vor ihm in die Hocke. Es gab ein leises, schmatzendes Geräusch, als sie den Vibrator aus ihrer Muschi zog, um ihn dann herausfordernd hochzuhalten.

»Bück dich!«, wies sie Tobias an. Dieser, weit davon entfernt, sich ihr zu widersetzen, beugte sich nach vorn, stützte sich mit beiden Händen auf dem Boden ab und wartete bebend darauf, dass sie *es* tat. Wartete ...

»Bitte mich um das, was du möchtest!« Ganz leise kamen die Worte nun, es klang fast, als wolle sie ihn hypnotisieren.

Er leckte sich über die Lippen und starrte auf das schmale, schwarze Ding vor seiner Nase, das ganz seimig von ihren Säften war.

»Steck ihn mir rein ... Bitte, steck ihn mir rein!«, stieß er mühsam hervor und machte gleichzeitig ein Hohlkreuz, um den Hintern herauszustrecken.

»Ihn reinstecken?«, raunte sie beinahe zärtlich. »Ich weiß

nicht wovon du sprichst. Wo soll ich ihn reinstecken – und wozu? Du musst schon deutlicher werden, wenn ich deine Wünsche erfüllen soll. Und vergiss dabei nicht, mit wem du sprichst!« Das Surren entfernte sich von seinem Ohr, als der Dildo wieder in ihrer saftigen Spalte verschwand. Der nackte Mann, der vor Erregung fast verging, schien sie nicht weiter zu interessieren.

Langsam fürchtete Tobias, sie wolle ihm mit ihrer wohl berechneten Grausamkeit womöglich nach dem Leben trachten … Konnte irgendein männlicher Organismus diese Tortur verkraften? Geradezu flehentlich klangen seine Worte, als er bettelte:

»Ficken Sie mich, *Frau Meister!* Schieben Sie mir das Ding in den Hintern und lassen Sie mich kommen! *Bitte!*«

»Na, das klappt doch immer besser«, lobte sie ihn mit einem leisen, spöttischen Lachen und beugte sich über seine Kehrseite. Dann ließ sie den Dildo aus sich herausschlüpfen und zielte damit auf das enge, von violetten Hautfältchen gesäumte Loch. Behutsam bahnte sie sich mit der vibrierenden Spitze einen Weg in den dunklen Tunnel. Ganz langsam, Stück für Stück, versenkte sie den schwarzen Stab darin, und sobald Tobias sich entspannt hatte, wollte er seinen Schwanz packen, um sich endlich, endlich zu erlösen – aber ihre gebieterische Stimme hielt in wieder zurück.

»*Erst* wenn ich es dir erlaube! Hast du das vergessen?«

Seine Hand glitt zurück auf den Boden.

Nun tat sie, worum er sie gebeten hatte, und besorgte es ihm, penetrierte ihn mit gleichmäßigen, leicht rotierenden Stößen, auf die er mit keuchenden Atemzügen antwortete. Er begann am ganzen Körper zu zittern, und endlich befahl sie ihm: »Tu es jetzt! Ich will sehen, wie du kommst!«

Er ließ sich zusammengekrümmt zur Seite fallen, als versagten ihm die Muskeln plötzlich ihren Dienst, umfasste mit beiden Händen seinen harten, geschwollenen und schmerzenden Schwengel und bearbeitete ihn heftig. Die Frau hielt dabei den Vibrator an Ort und Stelle, und so dauerte es keine drei Sekunden, bis Tobias explodierte. Sein Samen wurde in weiten Fontänen über das Parkett geschleudert, er stöhnte laut und blieb mit einem trockenen Aufschluchzen völlig entkräftet liegen. Nur durch sein erschlafftes Glied liefen noch ein paar leichte Zuckungen.

Frau Meister zog ihm vorsichtig den Vibrator aus der Rosette und hauchte einen Kuss auf eine seiner vollkommenen Pobacken.

»Wisch das noch weg, bevor du gehst!«, sagte sie freundlich, aber bestimmt, stand auf und verließ kurz darauf das Zimmer.

Tobias kam nur langsam wieder zu sich. *Wow!* Was für eine abgefahrene Nummer! Auf wackligen Knien schob er sich hinüber zu den Putzutensilien und hatte gerade die Spuren seines heftigen Ergusses beseitigt, als Frau Meister zurückkam. Sie trug wieder das Hemd und die Wollsocken, die Brille hatte sie abgesetzt.

»Herzlichen Glückwunsch zum Geburtstag«, sagte sie lächelnd.

Wie bitte? Tobias, der sich eben den Lendenschurz vor die Blöße gebunden hatte, konnte sich absolut nicht erinnern, wann er dieser Frau nun eigentlich von seinem Geburtstag erzählt haben sollte. Argwöhnisch sah er sie an, als sie, immer noch lächelnd, auf ihn zukam. Ihre Freundlichkeit wirkte aufrichtig. Da hielt sie ihm einen Briefumschlag entgegen.

»Hier, das ist für dich.«

Trinkgeld?! Tobias' Verwirrung steigerte sich weiter und musste ihm deutlich ins Gesicht geschrieben stehen, denn Barbara Meister lachte belustigt auf.

»Das ist eine Glückwunschkarte von deinen Kollegen«, erklärte sie, »ich bin ihr Geburtstagsgeschenk an dich und soll dir natürlich ganz herzliche Grüße bestellen!«

Ihm klappte der Unterkiefer herunter. Er griff nach dem Kuvert, zog eine bunte Karte heraus und las neugierig die Nachricht der Jungs:

Lieber Tobias, stand da, *alles Gute zum Geburtstag! Wir wünschen Dir, dass Du als unser Saubermann Dich bei Deinem Job heute endlich mal selber schmutzig gemacht hast …!*

So war das also! Mit einem Grinsen klappte er die Karte zu, hob den Kopf und sah die Frau an.

»Ich könnte noch mal in die Ecken gehen, Frau Meister!«

Samstags

Heute ist ein guter Tag, das merke ich gleich. Es ist der zweite Samstag im Dezember, und die Menschen drängeln sich hier im Einkaufszentrum, um Weihnachtsgeschenke zu kaufen. Von allen Seiten wird man mit »Jingle Bells«, »O du Fröhliche« oder auch *WHAM!s* »Last Christmas« beschallt, es duftet nach Lebkuchen und Glühwein, und alle Läden erstrahlen in festlichem Lichterglanz.

Das Besondere an dieser Zeit ist, dass man viel mehr Männer trifft als sonst, vor allem solche, die von ihren Frauen oder Freundinnen mitgeschleppt werden. Trotz der Eile kann man aber noch eine gewisse Vorfreude auf den Gesichtern der Leute erkennen – die Paniker auf den letzten Drücker werden erst in zwei Wochen hier einfallen. Alles in allem sind das die besten Voraussetzungen für meinen kleinen Ausflug.

Ich spaziere langsam am Rand des Menschenstroms entlang. Da, am Wühltisch des Billigkaufhauses, steht eine ältere Frau und kramt in einem Berg Acrylpullover. Ein kleiner Mann im grauen Mantel mit Hut und altmodischer Hornbrille, offensichtlich ihr Gatte, wartet verloren etwas abseits und starrt vor sich hin.

Ich marschiere auf ihn zu.

»Entschuldigen Sie bitte«, spreche ich ihn furchtbar höflich und mit schüchternem Lächeln an, »kennen Sie sich hier aus?«

Der Mann guckt etwas verwirrt, scheinbar dauert es einen Augenblick, bis er mich durch seine zentimeterdicken Brillengläser scharf gestellt hat. Dann erhellt sich seine Miene.

»Ja … schon«, antwortet er, »warum? Hast du dich verlaufen, Kind?«

Meine langen Haare sind zu zwei mädchenhaften Zöpfen geflochten, die mich in seinen Augen wohl viel jünger erscheinen lassen, als ich bin.

Ich senke scheu den Blick.

»Nein, ich suche nur etwas. Wissen Sie vielleicht, wo ich hier … Reizwäsche kaufen kann?« Bei den letzten Worten senke ich verschämt die Stimme und komme ihm ganz nah, damit er mich auch versteht.

Dennoch glaubt er, sich verhört zu haben.

»Bitte … was?«, fragt er verunsichert, schon ein bisschen nervös.

»Reizwäsche«, flüstere ich, »solche Sachen für drunter. Aus schwarzer Spitze, mit Strapsen und so.«

Er zwinkert aufgeregt und wirft einen unbehaglichen Blick zu seiner Frau hinüber, die noch immer in die Polyesterwirkwaren vertieft ist. Er scheint zu überlegen, ob ich ihn auf den Arm nehmen will, erliegt dann aber doch meinem treuherzigen Augenaufschlag.

»Nun ja, ich bin kein … kein Fachmann auf diesem Gebiet«, stammelt er, »ich kann Ihnen da wirklich nicht …«

Ich rücke näher an ihn heran.

»Wie schade«, raune ich in sein behaartes Altmännerohr, »ich finde aber, Sie sehen so aus!« Sein Mund klappt auf und zu wie bei einem Fisch auf dem Trockenen, und ich achte darauf, dass meine flaumige, weiße Kaninchenfelljacke ein wenig seine Wange streift, bevor ich wieder auf Abstand gehe.

»Trotzdem vielen Dank!« Ich schenke ihm noch einen engelhaften Blick und verschwinde, ehe seine Frau aufmerksam wird.

Hinter einer Säule versteckt, durch das Gewühl der Passanten hindurch, beobachte ich den Mann noch ein wenig. Etwas betreten steht er da. Heftig zwinkernd und in Gedanken versunken, aber ganz eindeutig mit einem glücklichen Lächeln auf dem Gesicht.

Mir macht das Spaß, auch wenn es vielleicht albern erscheint. Es ist einfach immer wieder lustig zu sehen, wie leicht die meisten Männer ohne viel Aufhebens von einer Frau zu manipulieren sind, und ich tue ja nichts Böses. Dem alten Mann habe ich bestimmt den Tag gerettet. Wenn nicht sogar die ganze Woche oder gar den Monat …

Klar kommt es auch mal vor, dass ich ein bisschen boshaft werde, aber schließlich gibt es genug Typen, die es echt nicht besser verdient haben! Ich bin nicht etwa pervers – diese Spielchen geben mir nur einfach einen gewissen Kick.

Von wegen Typen, die es nicht besser verdient haben: Gerade sehe ich so einen. Er tigert in einer großen Boutique vor einer Reihe von Umkleidekabinen herum. In einer davon ist mit einem Riesenstapel Klamotten gerade seine zierliche, püppchenhafte Begleiterin verschwunden. Das kann dauern.

Er kennt das offenbar schon, denn ich merke, wie er prompt sein Radar ausfährt, um die Wartezeit zu seinen Gunsten zu nutzen. Man könnte auch sagen, er fängt an abzuchecken. Auf den ersten Blick sieht er nicht mal schlecht aus, wenn man muskulöse Männer mag. Seine Oberschenkel in den ausgewaschenen Jeans sind ziemlich mächtig, der Po rund und knackig. Er trägt ein dunkelbraunes Ledersakko, und mit den breiten Schultern sieht er darin aus wie ein Kleiderschrank. Das Gesicht ist auch nicht unattraktiv. Trotzdem gibt es spätestens auf den zweiten Blick so manches an ihm, das die serienmäßig eingebaute Alarmglocke im Bauch jeder Frau aktivieren sollte – vorausgesetzt sie funktioniert –, denn Typen, die ihr Haar mit Gel zurückschleimen, eine dicke Goldkette auf der viel zu weit aufgeknöpften Brust und Cowboystiefel an den Füßen tragen, gehören definitiv zu der Spezies Mann, vor der unsere Eltern uns immer gewarnt haben. Dieser hier hat außerdem gerade den »Hey-Babes-ich-bin-ein-Superficker-Blick« angeknipst. Die kurzen Augenblicke, in denen seine dauergewellte kleine Husche ihm die anprobierten Röcke, Höschen und Blüschen vorführt, tut er unheimlich interessiert, aber kaum ist sie wieder hinter ihrem Vorhang verschwunden, sucht er den Laden nach anderen, aufrissfähigen Frauen ab. Ganz klar: Erbsenhirn und Schrumpfego.

Der kommt mir gerade recht, die Nummer mit dem niedlichen Opa war ja nur zum Aufwärmen!

Von der gegenüberliegenden Seite des Raumes sorge ich erst mal dafür, dass sich unsere Blicke »zufällig« treffen. Ich halte den seinen eine Sekunde zu lang fest: jetzt hat er mich auf dem Schirm. Wie beiläufig arbeite ich mich langsam zu ihm vor und sehe mir betont interessiert die angebotenen Klamotten an. Dabei spiele ich mit meinen Zöpfen, lecke mir über die Lippen und schaue immer wieder kurz zu ihm hin. Er hängt definitiv an der Angel. Ich weiß, dass er es kaum erwarten kann, bis ich endlich den letzten Kleiderständer zwischen uns umrundet habe.

Seine Begleiterin erscheint wieder auf der Bildfläche.

»Bärli«, quietscht sie, »guck doch mal, ist das hier nicht waaahnsinnig süüüß?!«

Schnell wendet er sich ihr zu und lobt pflichtbewusst ein grauenhaftes pink- und lilafarbenes Stretchtop im Leopardenprint. Abgang Husche.

Ich komme näher. Er stellt sich in Positur, ganz auf Wirkung bedacht, und dann richtet er das Wort an mich.

»Na, auch im Einkaufsstress?«

Ich strecke meinen Push-up-verpackten Busen, der unter dem dünnen schwarzen Rolli ohnehin ziemlich eindrucksvoll aussieht, ein bisschen unter der Jacke hervor und sehe ihn erst mal wortlos an. Jetzt ist sein Jagdinstinkt geweckt.

»Bist du öfter hier?«, forscht er, ganz Profi.

Ich bleibe ernst, mustere ihn jedoch, als würde mir gefallen, was ich sehe. Dann lächle ich sparsam mit einem Mundwinkel und erwidere bedeutungsschwanger: »Manchmal …«

Ich befeuchte meine Lippen lasziv mit der Zunge, um das Prozedere etwas abzukürzen, und tatsächlich fragt er sofort: »Wie wär's, wollen wir uns mal treffen?«

Ich trete jetzt sehr nah an ihn heran, sehe ihm frontal in die Augen und antworte lockend: »Kommt ganz drauf an …«

In diesem Moment taucht seine Freundin wieder auf, diesmal in einem unvorteilhaften weißen Minikleid, und ich schlendere unauffällig hinter einen Rundständer mit Strickjacken. Kaum verschwindet sie erneut in der Kabine, kommt er mir nach.

»Wie meinst du denn das?«, will er wissen und starrt mich lüstern aus eng zusammenstehenden Augen an.

Ich fixiere ihn ebenfalls, bin wieder ganz ernst.

»Das kommt ganz darauf an, ob es sich lohnt!«, erkläre ich, jede Silbe betonend, mit bedeutungsvollem Blick.

Offenbar kann er sein Glück kaum fassen, und es scheint ihn auch nicht weiter zu wundern, dass ich gar so leicht auf ihn anspringe. Die Idee, dass an der Sache etwas faul sein könnte, kommt ihm gar nicht.

»Ich lohne mich in jeder Beziehung, Baby«, versichert er mir und grinst ölig, worauf ich nüchtern klarstelle: »Mich interessierst du nur in *einer* Beziehung ...« und ihm voll zwischen die Beine greife.

Er erstarrt zur Salzsäule.

Mit der Hand an seinen Kronjuwelen, ziehe ich kopfschüttelnd eine Augenbraue hoch: » ...und in der hast du leider nicht genug zu bieten!«

Er steht da wie ein begossener Pudel und glotzt mich fassungslos an. Dazu fällt ihm jetzt eindeutig nichts mehr ein. Ich lasse ihn los und zucke die Schultern.

»Nichts für ungut«, erkläre ich großzügig, »deine Freundin ist ja Gott sei Dank sehr schmal gebaut!« Mit diesen Worten lasse ich ihn einfach stehen.

In Wahrheit hat der Typ zwar durchaus einiges vorzuweisen, aber seinen Superficker-Blick wird er künftig wohl trotzdem nicht mehr ganz so locker hinkriegen ...

Ich finde ja, diese kleinen Erlebnisse untermauern auf anschauliche Weise das, was wir Frauen ohnehin schon wissen: die Psyche des gemeinen männlichen Homo erectus ist wirklich total simpel, auch wenn dieser das am liebsten weit von sich weisen möchte. Selbst nach Millionen von Jahren mühsam absolvierter evolutionärer Entwicklung ist die allem zugrunde liegende Triebfeder des menschlichen Männchens schlicht und ergreifend nichts anderes als Sex! Natürlich gibt es den einen oder anderen, auf den das nicht zuzutreffen scheint, aber bei genauerer Betrachtung – wenn man mal die diversen zivilisationsbedingten Zwiebelschichten abschält –, dann geht es doch wieder bloß um diese paar Zentimeter Männlichkeit und was man damit machen kann.

Dagegen habe ich übrigens gar nichts, denn was täten wir Hetero-Frauen denn sonst mit *unserem* libidinösen Erbe? Ich nehme mir nur einfach die Freiheit, mit dieser männlichen Schwäche zu spielen.

Oder mit dem, was mal eine männliche Schwäche werden möchte …

Gerade habe ich einen Jungen entdeckt. Einen Teenager, vielleicht 14 oder 15 Jahre alt, noch total unproportioniert, schlaksig und mit vielen roten Pickeln im bartlosen Gesicht. Er trägt die Einheitsuniform der jugendlichen HipHop-Fans: 1. eine Hose, deren Bund ungefähr auf Höhe der Schamhaargrenze hinge, wenn da nur schon Schamhaar wäre, während der Schritt zwischen den Knien beutelt und damit stets die Assoziation präseniler Inkontinenz in mir hervorruft. 2. ein riesiges T-Shirt, das vom geairbrushten Konterfei eines grimmig aussehenden Gangster-Rappers mit kantigem Kiefer geziert wird. Veredelt ist der Look mit 3. ausgelatschten Turnschuhen, deren Farbe niemand mehr bestimmen kann.

Derart von seiner Pubertät gebeutelt, lümmelt der Knabe unheimlich lässig auf einer der Bänke, die eigentlich dazu da sind, der Allgemeinheit eine kleine Oase der Entspannung zu bieten, und raucht mit großer Geste eine Zigarette. Man kann richtig sehen, dass er sich damit wahnsinnig cool vorkommt. Sieht aber scheiße aus.

Ich setze mich in Bewegung. Direkt vor seiner Nase lasse ich meine Handtasche fallen und bücke mich tief, um sie aufzuheben. Mein Hintern in den hautengen Jeans springt ihm dabei fast ins Gesicht.

Ich richte mich wieder auf und sehe ihn direkt an. Die Tour funktioniert prima, er macht Glubschaugen und hat vergessen, den Mund zu schließen, der Kleine.

Natürlich tue ich, als würde ich ihn erst in diesem Moment bemerken, und dabei stelle ich mich so, dass er meine weiblichen Vorzüge bestens im Blick hat.

»Na«, spreche ich ihn an, »du lässt wohl nichts anbrennen, was!«

Er vergisst vor Schreck sogar, an seiner Zigarette zu ziehen.

»Hä?«, fragt er sicherheitshalber erst mal und guckt dumm.

»Na ja, so wie du mich anschaust, hast du's doch bestimmt voll drauf, oder?« Ich stemme die Hände in die Hüften, weide mich an seiner Verwirrung. Nicht mehr lange, dann wird er sich an seiner Kippe die Finger verbrennen.

Über das unfertige Gesicht huscht eine zarte Röte, die farblich hübsch mit den Pickeln harmoniert. Sagen tut er noch immer nichts.

Jetzt hole ich zum entscheidenden Schlag aus: »Obwohl …«, mime ich die Nachdenkliche. »Du weißt ja, dass dein Pimmelchen nicht mehr wächst, wenn du in deinem Alter schon rauchst, oder?«

»Was?«

»Na klar, Teer und Nikotin hemmen das Gewebewachstum und die Fließfähigkeit des Blutes noch dazu«, erkläre ich todernst, »das heißt, dass dein unterentwickeltes Schwänzchen bald nicht mal mehr steif wird.«

Jetzt leuchten die Pickel förmlich, weil er spontan käsebleich geworden ist.

»Aua!!!« Hastig schleudert er die Zigarettenkippe von sich, die ihm die Finger angekokelt hat.

»Was soll'n der Scheiß?«, fragt er dann verunsichert und zieht mackermäßig den Rotz in seiner Nase hoch, wohl um ein letztes Quäntchen Männlichkeit zu bekunden.

»Ach, *jetzt* weiß ich, warum du so eine Hose trägst«, mache ich ungerührt weiter, als hätte ich eine Offenbarung gehabt. »Es hat schon angefangen, und du hast Angst, dass das einer merkt! Du armer Kerl …« Jetzt habe ich ihn. Er wirft einen wilden Blick auf die Stofffülle zwischen seinen Knien und sieht aus, als werde er jeden Moment in Tränen ausbrechen.

Dann will er aufbegehren, aber ich schneide ihm das Wort ab.

»Denk drüber nach …«, sage ich einfach und lasse ihn in seinem Elend dort sitzen.

Aus einem Hinterhalt heraus beobachte ich, wie er sofort sein Handy zückt. Von hinten pirsche ich mich noch mal an ihn heran und höre, wie er aufgeregt in den Hörer quasselt: »Boah ey, Alter, voll krasse Sache! Grad hat mich so 'ne geile Tussi vollgeschwallt, die war schon was älter. Ey Mann, stell dir vor, die hat gemeint …«

Na gut, ich gebe zu, das war gemein, aber in diesem Alter sind sie ja noch regenerationsfähig.

Grinsend schlendere ich weiter.

Jetzt will ich mir erst mal einen vorweihnachtlichen Latte Macchiato mit Vanille und Zimt gönnen und steuere die kleine Espressobar im Untergeschoss an. Ein letzter Tisch ist noch frei. Allerdings sondiere ich zuerst vorsichtig die Lage, denn schließlich war ich schon öfter hier, und unter meinen samstäglichen Opfern befanden sich auch einige der netten Kellner. Die Luft ist jedoch rein, kein bekanntes Gesicht zu sehen. Ich lasse mich entspannt auf einen Stuhl fallen.

Der Kellner, der kurz darauf an meinen Tisch kommt, gefällt mir sogar. Ein süßer, junger Italiener mit Schmalzlocke, großen braunen Rehaugen und einer Haut wie ein Babypopo. Als er meine Bestellung aufnimmt, schenkt er mir ein hinreißendes Lächeln, meinen Kaffee serviert er mit feurigem Blick, und in der restlichen Zeit dreht er sich so oft nach mir um, dass er fast über seine großen Füße stolpert. Ich sonne mich in seinem Interesse – wobei mir vollkommen egal ist, ob das bei diesem kleinen Casanova zur nationalitätsbedingten Grundausstattung gehört – und schlecke den duftenden Milchschaum von meinem Glas.

Bald darauf lasse ich mir von ihm die Rechnung bringen, bezahle und warte auf mein Wechselgeld. Er schmachtet mich noch mal an und verschwindet mit einem gehauchten »Ciao bella!« zwischen den Tischen.

Diese südländische Sahneschnitte hat natürlich besondere Zuwendung verdient. Ich klaube mein Wechselgeld zusammen und lasse ein großzügiges Trinkgeld auf dem Tellerchen zurück. Dieses nehme ich, folge dem Kellner und spreche ihn an.

»Warten Sie bitte«, sage ich und halte ihm das Trinkgeld hin, »das ist für Sie!«

Er dreht sich überrascht um und strahlt dann über das ganze Gesicht.

»Ah, Signora! Mille grazie!«, bedankt er sich überschwänglich.

Da nähert sich mein Mund seinem Ohr, und ich raune: »Eigentlich wollte ich Ihnen stattdessen mein getragenes Höschen schenken ... Aber leider habe ich keines an!«

Er schnappt nach Luft und reißt ungläubig die Augen auf. Sein Mundwinkel beginnt nervös zu zucken, seine Blicke verheddern sich in meinem Schritt.

Natürlich kann ich es nicht lassen, mich nach ein paar Metern noch mal nach ihm umzudrehen. Er bewegt sich langsam durch das Café, starrt mir aber noch immer fassungslos hinterher. Dann stolpert er doch noch, und das voll beladene Tablett segelt ihm aus den Händen. Begleitet von ohrenbetäubendem Geschepper, mache ich mich lachend davon.

Es ist mir wahrhaftig noch nie passiert, dass einer schlagfertig reagiert hätte. Im Grunde reagieren sie überhaupt nicht, weder nett noch unfreundlich. Kein Mann rechnet wohl damit, bei einem harmlosen Bummel durchs Einkaufszentrum so unverblümt mit seinen Trieben konfrontiert zu werden. Es ist ganz einfach: Ich drücke auf den entsprechenden Knopf und weide mich an der Macht, die ich plötzlich habe.

Mittlerweile bin ich so richtig warmgelaufen, und mein Höschen – natürlich trage ich eins – ist unter den verzehrenden Blicken des kleinen Italieners sogar ein bisschen feucht geworden. Mit den Augen schon wieder auf der Pirsch, merke ich erst im letzten Moment, dass sich mir jemand in den Weg stellt. Aufgeschreckt will ich den festen Griff abschütteln, mit dem ich am Weitergehen gehindert werde, und dann setzt mein Herzschlag einmal aus. Es ist Tom, mein Ex-Ex-Exfreund. Ein wahnsinnig toller Mann, mit dem mich aber leider nicht viel verbunden hat – zumindest nicht außerhalb des Bettes. Unsere kurze Beziehung scheiterte mit Pauken und Trompeten, aber jedes Mal, wenn wir uns seitdem über den Weg laufen, kriege ich das große Zittern, weil ich mit ihm definitiv den besten Sex meines Lebens hatte. Er sieht umwerfend aus wie immer. Feixend spricht er mich an:

»Schau mal an, es ist Samstag … Bist du wieder als böses Mädchen unterwegs?«

Tom ist der Einzige, der von meinem schmutzigen kleinen Hobby weiß. Als wir noch zusammen waren, musste ich ihm jedes Mal haarklein erzählen, was ich bei meinen samstäglichen Abenteuern erlebt hatte. Das turnte ihn unheimlich an und endete regelmäßig damit, dass wir uns die Seele aus dem Leib vögelten …

»Tom!«, begrüße ich ihn etwas atemlos. »Hallo! Kaufst du Weihnachtsgeschenke ein?«

Er grinst weiter auf mich herab und schüttelt den Kopf.

»Nein, ich muss noch arbeiten«, antwortet er, »bin leider spät dran!« Mit diesen Worten küsst er mich rechts und links auf die Wangen und drückt mich kurz an sich.

»War schön, dich zu sehen!« Damit verschwindet er im Gewühl.

Ob er das ernst gemeint hat? Ob ich wohl auch nur annähernd so auf ihn wirke wie er auf mich? Was gäbe ich dafür, es noch mal mit ihm zu versuchen … Aber natürlich bin ich viel zu stolz, um die Initiative zu ergreifen.

Meine Knie wackeln … Ich muss mir diesen Kerl endlich aus dem Kopf schlagen!

Um mich abzulenken, habe ich jetzt Lust auf einen Biedermann, bei denen kann man die beste Show abziehen. Aufmerksam streife ich durch die vielen Menschen, suche ein willfähriges Opfer. Es dauert nicht lange, bis ich eines finde. Der Typ trägt zu kurze Cordjeans, eine völlig unmodische Strickjacke und eine Brille mit schmalem Metallrand. Ein richtiger Klemmi! Seine Stirn ist bereits sehr weit nach hinten gewachsen, obwohl er kaum älter sein kann als 30. Mit hängenden Schultern, ein wenig plump um die Mitte, steht er einfach so da, ein Stück abseits vom Hauptpassantenstrom – rechts von ihm ein Schuhgeschäft, links die öffentlichen Toiletten.

Hier wäre subtiles Vorgehen nur hinderlich.

Ich gebe vor, auf die Damentoilette zuzusteuern, und stutze, als ich an ihm vorbeikomme.

»Konrad!« Mit diesem begeisterten Ausruf falle ich dem wildfremden Kerl um den Hals.

Der fährt erschrocken zusammen und fragt: »Wie? Wer?«

»Konrad, Schnucki, ich freue mich ja so!« Ich streichle die Wange des Mannes, ergreife seine Hände und drücke sie mir gegen die Brust. Dabei strahle ich ihn glücklich an.

Er ist so perplex, dass er sich nicht wehrt.

»Aber … ich heiße gar nicht Konrad«, stellt er schüchtern richtig.

Dann erst scheint er sich meiner körperlichen Nähe bewusst zu werden, sein Blick fällt auf seine Fäuste, die von meinen Händen umschlossen an meinem Busen ruhen, und er schluckt. Sein mächtiger Adamsapfel hüpft dabei auf und ab.

»Aber mein Süßer, natürlich heißt du Konrad!«, beharre ich überzeugt und rücke ihm noch ein wenig mehr auf den Pelz.

»Du glaubst doch nicht, dass ich dich und deinen … *kleinen* Konrad verwechseln oder gar vergessen könnte!«

»Aber …«, will mein Gegenüber wieder einwenden, während ich seine Hände auf meinen Hüften platziere.

»Du warst so wunderbar, Konrad«, erkläre ich ihm ganz aufgewühlt, »wie du mich geküsst hast, deine Lippen überall auf meinem Körper! Du hast mich absolut verrückt gemacht!«

»Aber ich … ich …« Bestimmt beschlägt ihm gleich die Brille.

»Konrad, du darfst mich nicht abweisen! Bitte lass es uns noch mal tun!« Ich schiebe seine Hände so, dass sie fast auf meinem Hintern zu liegen kommen. Mit schnellem Blick erkenne ich, dass sich in seiner Cordhose etwas regt.

»Du bist doch der Beste, Konrad! Schnucki! Ich will dich! Komm, gehen wir zusammen da auf die Toilette und machen es einfach!«

Die Finger des Mannes greifen unwillkürlich zu, er krallt sich ein bisschen in den Stoff meiner Jeans, scheint das Für und Wider meines Vorschlags abzuwägen.

Ich trete so nahe an ihn heran, dass höchstens noch ein Blatt Papier zwischen uns passen würde. Meine Stimme ist dunkel und drängend.

»Ich bin so heiß auf dich, Konrad! Mein Pfläumchen ist schon ganz saftig …«

Die Beule in seiner Hose wird immer größer, und ich stelle endgültig die Weichen: »Pass auf, Schnucki, du gehst jetzt einfach da in die Herrentoilette, verschwindest in der letzten Kabine und machst dich nackig. Ich warte, bis die Luft rein ist, und dann komme ich nach!« *Genau genommen kannst du natürlich auf dem Klo warten, bis du schwarz wirst, ›Schnucki‹!*

Es macht den Anschein, als ringe der Mann heftig mit sich: Soll er das Skandalöse tun und die Gelegenheit beim

Schopf packen … Es mit mir treiben, obwohl ich ihn offenkundig für einen anderen halte? Um ihm die Entscheidung zu erleichtern, stöhne ich leise ein bisschen in sein Ohr.

»Das müsste dann aber ganz schnell …«, setzt er an, doch in diesem Moment kreischt neben mir eine schrille Frauenstimme auf.

»Was ist denn hier los?«

Ich schrecke alarmiert zurück und bekomme auch schon eine Handtasche gegen den Kopf gepfeffert.

Von hinten hat uns eine Frau überrascht, die offenbar aus der Damentoilette gekommen ist. *Seine* Frau, wenn ich mich nicht sehr täusche. Mist, ein dummer Anfängerfehler!

»Herbert!«, keift sie weiter. »Was fällt dir ein?«

Wie ein Racheengel steht sie drohend vor uns.

»Schatzi, das ist nicht so, wie du denkst! Die Dame hat mich nur verwechselt …«, stammelt Herbert aufgeregt und nimmt endlich die Hände von meinem Hintern.

»Du Mistkerl!« Der Arm der Frau schnellt nach vorn, und er kriegt eine geschossen, dass es nur so knallt.

Diesen kurzen Moment nutze ich, um eilig den Rückzug anzutreten. Die Furie will mir erst folgen, überlegt es sich dann aber anders. Wutentbrannt schreit sie mir schlimmste Beschimpfungen hinterher, und ich sehe zu, dass ich Land gewinne.

Wie peinlich! Vielleicht sollte ich doch zurückgehen und alles erklären. Wobei mir die Frau wahrscheinlich sowieso nicht glauben würde.

Also Schwamm drüber.

Als ich mich einigermaßen von dem Schreck erholt habe, bin ich bereit für mein großes Finale. Auf diese Nummer freue ich mich schon den ganzen Tag! Überall hängen die Plakate: Heute Nachmittag besucht der Weihnachtsmann das Einkaufszentrum. Alle Kinder sind eingeladen, ihm ihre Wunschzettel zu verraten.

Aber gerne, lieber Nikolaus!

Schon von weitem sehe ich die kleine Bühne, auf der ein riesiger goldener Thron unter einem dunkelroten Samthimmel steht. Die ganze Szene ist mit weißem Kunstschnee und funkelndem Talmi geschmückt.

Ein sehr dicker Weihnachtsmann sitzt auf dem Thron. Er trägt den klassischen roten Anzug mit weißem Fellbesatz, einen breiten schwarzen Ledergürtel um die Mitte und auf dem Kopf eine rote Zipfelmütze mit dickem Bommel, unter der weiße Haarsträhnen hervorblitzen. Sein Gesicht wird fast vollständig von einem monströsen Wattebart verdeckt, und er nickt geduldig zu der offenbar sehr langen Wunschliste des kleinen Mädchens, das gerade auf seinem Knie sitzt.

Vor der Bühne hat sich eine lange Schlange aus erschöpften Eltern gebildet, an deren Händen ungeduldige Sprösslinge hängen und darauf warten, ihre Weihnachtswünsche loszuwerden.

Mal sehen, was der ehrwürdige Nikolaus tut, wenn ich ihm vor aller Augen *meine* ganz speziellen Wünsche ins Ohr flüstere …

Die neugierigen Blicke der wartenden Eltern ignorierend, stelle ich mich hinten an und verfasse im Geiste einen überaus unanständigen Wunschzettel. Ich werde dem Dicken da oben gleich ordentlich einheizen, das ist ja wohl Ehrensache!

Nur langsam bewegt sich die Schlange vorwärts. Einige

der Kinder haben Angst vor dem Weihnachtsmann, es fließen Tränen, gibt Geschrei. Manchmal wollen die Eltern voller Stolz erst ein Foto machen, oder die Kleinen können sich vom vermeintlichen Überbringer ihrer Geschenke gar nicht mehr losreißen.

Es dauert also eine ganze Weile, bis ich dran bin. Dann ist endlich nur noch ein Junge vor mir. Ich warte seitlich der Bühne und hoffe, dass der Kleine sich beeilt, denn mittlerweile kann ich kaum noch stillstehen vor lauter unzüchtigen Weihnachtswünschen.

Als ich dann endlich die Bühne erklimme und mich auf die Knie des dicken Nikolaus schwinge, erklingt empörtes Gemurmel aus den Reihen der Eltern. Ich mache es mir auf dem weich ausgestopften Schoß bequem und registriere schadenfroh, wie dem verkleideten Weihnachtsmann erst mal die Worte fehlen.

»Ho-ho-ho!«, sagt er dann laut und macht eine beschwichtigende Geste in Richtung der aufgebrachten Zuschauer. »Na, junge Dame, und was führt dich zu mir?«

Seine Stimme ist zu einem tiefen Brummeln verstellt, und für einen Moment fühle ich mich tatsächlich wieder wie ein kleines Mädchen. Aber *nur* für einen Moment. Dann lege ich ihm einen Arm um die Schulter und antworte keck: »Mein Wunschzettel!«

Er nickt weise und fragt mich laut: »Ja, bist du denn auch brav gewesen?«

»Aber natürlich«, beteuere ich. Das Spiel macht jetzt schon Spaß!

»Bist du nicht vielleicht doch ein unartiges Mädchen gewesen?«, beharrt er, und mit einem Mal klingt seine Stimme irgendwie vertraut.

In den Augen, die zwischen der roten Mütze und dem mächtigen weißen Bart herausblitzen, liegt ein provozierender Ausdruck. Der Weihnachtsmann grinst mich an. Mein Blick bleibt an einem niedlichen Muttermal auf seiner Nasenspitze hängen, mir wird schwindelig, und ich erkenne … Tom!

Tom, der auf dem Weg zu einem Job war …

Tom!!!

Mein schöner Plan fällt in sich zusammen wie ein Kartenhaus. Mein Gehirn ist plötzlich irgendwie leer.

»Nun?«, fragt er erneut. Die tiefe Stimme klingt sehr autoritär.

»Na ja …«, stottere ich überrumpelt, eingeschüchtert durch die Exponiertheit der ganzen Szene, »eigentlich war ich schon brav …«

»Das glaube ich dir nicht!«

Die Erwachsenen ringsum sehen uns jetzt neugierig zu, nur vereinzelt höre ich noch wütende Bemerkungen.

»Ich weiß genau, dass du ein böses Mädchen warst«, knurrt mein Exfreund, der Nikolaus, weiter, »wenn du mir aber deine kleinen Sünden gestehst, werde ich dir deine Wünsche vielleicht doch erfüllen!«

Ich fange an zu schwitzen. Die Leute starren uns an, und als ich unruhig auf seinem Schoß herumrutsche, kann ich sehr deutlich spüren, dass der Weihnachtsmann eine kräftige Rute für mich bereithält.

Ganz leise fange ich an zu beichten …

Doctor Egypt

O Mann, ist mir schlecht … Mir ist ja sooo schlecht! Der vierte Fernet Branca war wohl doch zu viel. Vielleicht auch erst der fünfte … oder der sechste … Nie wieder trinke ich Alkohol, ich schwör's!

Dabei war gar nichts Besonderes gestern, nur Stammkneipe mit Mausi, meiner besten Freundin. Mausi ist übrigens nicht so tussig, wie sie sich anhört, eigentlich heißt sie Sabine, aber ihr Nachname ist Mauslinger, wofür sie ja weiter nichts kann. Ein letzter Absacker vor meinem Urlaub war geplant, ganz harmlos. Vielleicht wollte ich mir Mut antrinken oder einfach nur gute Nerven, gepaart mit einem dicken Fell …

Eigentlich sollte man sich ja freuen, wenn man mit seinem festen Freund in Urlaub fährt, noch dazu über Silvester. Aber ich freue mich irgendwie gar nicht. Liegt es am Reiseziel, Hurghada? Na, mein Traumurlaub wird das bestimmt nicht, aber so kurzfristig war nichts anderes mehr frei. Ägypten gab's noch dazu echt günstig, denn kurz vorher hatten wieder irgendwelche größenwahnsinnigen islamistischen Terroristen Bomben auf das Tal der Könige geschmissen …

Na, ich hoffe mal, hier gilt nicht das Gesetz der Serie. Außerdem liegt unser Urlaubsort ja mitten im Nichts.

Hurghada, das Taucherparadies. Ich tauche nicht. Überflüssig auch zu erwähnen, dass ich so meine Probleme habe mit der Stellung der Frau in muslimischen Ländern. Peter, so heißt mein Freund, findet das insgeheim gut, darauf wette ich. Er ist nämlich ein verkappter Chauvinist – und echt wertkonservativ, was die gute alte Rollenverteilung angeht. Das Schlimmste dabei ist, dass er ein total bescheuertes Frauenbild mit sich herumträgt. Möchte mal wissen, wo er das herhat, wahrscheinlich ist da der Wunsch der Vater des Gedanken. Der liebe Peter geht nämlich davon aus, dass eine richtige Frau, soll heißen eine *normale* Frau, permanent so funktioniert wie das berühmte Film- und Fernsehflittchen *Emanuelle.* Also ein lüsternes Luder, das immer kann und immer will. Zu jeder Tages- und Nachtzeit, bei jeder Temperatur und in allen Lebenslagen. Heinz G. Konsalik kannte auch so Frauen. Ich nicht. Und sollte es sie geben, so hätten sie meiner Meinung nach ein echt schlimmes Problem. Peter findet, *ich* habe eines. Oft genug hat er mich frigide genannt, nur weil es mir zunehmend schwer fällt, auf seine kümmerlichen Verführungsversuche hin abzugehen wie Nachbars Lumpi auf die Salami …

Ha, ich und frigide! Der Idiot! Wenn der wüsste, was für hemmungslose Hardcorestreifen in meinem Kopfkino Programm sind … Da bin ich vielleicht etwas wählerischer als die wilde Emanuelle, aber ganz bestimmt genauso scharf. Und dass Peter nicht die männliche Hauptrolle in meinen Phantasien spielt, daran ist er selber schuld. Bestenfalls als onanierender Zaungast taugt er was. Leider sind mir seine mangelhaften Qualitäten als Liebhaber anfangs völlig entgangen. Blöd auch, dass man zu Beginn einer Beziehung immer so auf Hormonen ist. Die stimmen irgendwie milde.

Mittlerweile bekommt meine Mumu spontan Migräne, wenn Peter nachts im Bett, bequem aus der Löffelchen-Stellung heraus, plötzlich eindeutige Stoßbewegungen mit dem Becken vollführt, begleitet von schlecht imitiertem Hundegewinsel. Mal ehrlich, stellt man sich so den Abflug zu einem heißen Fick vor? Hoffentlich stehen in unserem Hotelzimmer zwei Einzelbetten …

Verdammt, ist mir schlecht, das wird gar nicht besser. Dabei habe ich noch keinen Bissen gegessen. Wenn das so weitergeht, krieche ich heute Nachmittag auf allen vieren zum Flieger.

Genauso ist es. Wie ein Sack Kartoffeln hänge ich über dem Gepäckwagen. Am Check-in-Schalter dann der große Schock: Wir fliegen nicht direkt nach Hurghada, sondern landen gegen Mitternacht in Kairo zwischen. Dort haben wir dann vier Stunden Aufenthalt, bis es weitergeht. *Wie soll ich das überleben?* Völlig entkräftet hocke ich auf meinem Beautycase. Kurz vor dem Boarding ist es dann endlich so weit: Mein Magen hebt schon mal ab. Dezent entschwinde ich auf die Flughafentoilette, um ein wenig Fernet Branca von mir zu geben. Oder was davon übrig ist.

Im Flieger riecht es aufdringlich süß und künstlich nach Lemongras. Was für ein Glück, dass in der Dreierreihe außer Peter und mir niemand sitzt. Der trägt das Ganze übrigens mit Fassung. Zwar ist er nicht besonders mitfühlend, aber wenigstens macht er mir keine Vorwürfe. Das fehlte auch noch.

Ich habe mich über alle drei Sitze ausgebreitet, liege mit dem Kopf in Peters Schoß und leide. Alles kein Problem. Ich darf mich nur nicht bewegen … Der Flug ist ganz ruhig, und dennoch sorgen die Triebwerke für stetige sanfte Vibrationen. Das ist schlecht. Mir ist schlecht, sooo schlecht. Vorsorglich angele ich nach der Kotztüte, die freundliche Fluggesellschaften für Menschen wie mich erfunden haben. Ich bin dankbar. Leider stellt sich heraus, dass in meinem Brechbeutel schon irgendetwas drin ist. Ich schleudere das entweihte Papierding weit von mir, hieve mich von den Sitzen und stolpere mit vor den Mund gepresster Hand durch den engen Mittelgang nach hinten, Richtung Toiletten. Flüchtig, aber dennoch unangenehm berührt, nehme ich die unzähligen dunklen, umschatteten Augen unter verblichenen Turbanen wahr, die mir interessiert folgen. Schwarze Schnurrbärte heben sich über grinsenden Lippen, die von Kautabak geschwärzte Zähne freilegen. Dann hat der Spießrutenlauf ein Ende, ich stürze in die winzige WC-Kabine und bereite mich schon mal auf den Urlaub vor: »HUUUURGHada.« Halleluja!

Dieses Drama wiederholt sich im Lauf des Fluges nach Kairo noch etliche Male. Sei es, weil die penetranten Aromen aus der Lüftung mir auf den Magen schlagen, weil der Flugzeugbauch gar so lustig vibriert oder weil Peter direkt neben mir dem angebotenen, kräftig orientalisch gewürzten Essen ausführlich zuspricht. Jedes Mal scheinen dabei die Blicke der turbanbemützten Herren hämischer und verachtender zu werden.

Übrigens, nur der Vollständigkeit halber: Es gibt wohl kaum etwas Entwürdigenderes, als in eine Flugzeugtoilette zu kotzen …

Peter ist nun doch langsam genervt. Keinerlei Anteilnahme hat er für mich übrig, stattdessen einen dummen Spruch: »Die Astrid hat immer aufgehört zu trinken, *bevor* sie zu viel hatte!« Ja, ja, auch das noch … Astrid (Arschtritt!!!), seine blöde Exfreundin. Konnte alles, wusste alles. Mrs Perfect … Da fällt mir ein, ich habe ihn noch nie gefragt, ob *die* ihm eigentlich Emanuelle-mäßig die Stute gemacht hat. Wobei – ich glaub, das will ich gar nicht wissen.

Als wir zum Landeanflug ansetzen, deliriere ich fast. Mir ist immer noch grauenhaft übel, obwohl doch schon seit längerer Zeit absolut nichts mehr drin ist in meinem Magen. Sobald wir den Flieger verlassen, stülpt sich gnadenlos die smoggeschwängerte Kairoer Nachtluft über uns und versagt mir damit schon wieder die dringend nötige Sauerstoffzufuhr. Am liebsten möchte ich sterben …

Mittlerweile würde ich *alles* tun, um mich besser zu fühlen!

Zum Beispiel in diese heruntergekommene kleine Bretterbude hineingehen, auf der in arabischen Schriftzeichen groß »Erste Hilfe« zu lesen ist. Ich verstehe das übrigens nur, weil es auf Englisch daneben steht.

Peter meckert herum und will nicht mitkommen, er hat Angst, den Reiseleiter aus den Augen zu verlieren, der uns an der Zollkontrolle Händchen halten soll. Na toll, und wer hält jetzt mein Händchen???

Kurz entschlossen drücke ich ihm mein Beautycase in die Hand (habe ich bereits erwähnt, dass Peter kein Gentleman ist?) und wanke mit letzter Kraft durch die Tür, hinter der ich mir Rettung erhoffe.

Auf engstem Raum stehe ich zwei Männern gegenüber. Der eine fällt mir zuerst ins Auge, weil ich bei seinem Anblick förmlich zurückpralle: der Prototyp eines männlichen Schmierlappens. Feist, mit dicker Wampe, fettigen, schlecht geschnittenen schwarzen Haaren und der unvermeidlichen Rotzbremse über den fleischigen Lippen. Gekleidet ist er in einen speckigen braunen Lederblouson und ausgeleierte schwarze Sporthosen. Breitbeinig hockt er auf einem Stuhl und glotzt mich finster an. Na ja, andere Länder, andere Schönheitsideale … Meins ist das nicht, deshalb werde ich vor lauter Schreck direkt ein bisschen klarer im Kopf. Und nehme nun auch den anderen Mann wahr. Gott sei Dank ist *er* offenbar der Arzt, denn er trägt einen ordentlich geknöpften weißen Kittel, weiße Hosen und sitzt hinter dem verschrammten Schreibtisch. Und für einen Ägypter sieht er ziemlich gut aus (*wie* gut, wird mir allerdings erst *nach* diesem Ägypten-Urlaub wirklich klar sein …). Er ist groß, schlank, hat breite Schultern. Das gepflegte dunkle Haar trägt er kurz geschnitten, und nicht mal der Schatten eines Bartes verunziert seine männlichen Gesichtszüge.

Er blickt mir freundlich entgegen. »Can I help you?« Schöne Zähne hat er auch.

»Yes, please! I am sick.«

Er erhebt sich und deutet auf eine schmuddelige, ehemals weiße Kunstlederliege, die halb hinter einem nicht weniger fleckigen, ehemals weißen Vorhang verborgen ist.

»Please«, sagt er, »lay down here. I'll have a look«.

Wie ferngesteuert gehe ich zu ihm hinüber und sinke auf die Liege. Ich bin benommen und irgendwie angespannt. Ein klassischer Arztbesuch ist das nicht gerade. Die Situation kommt mir zunehmend surreal vor. Peter hat Besseres zu tun, als mir beizustehen, und der fiese Typ da auf seinem Stuhl fixiert mich immer noch.

Der Arzt blickt mit seinen schwarzen Augen prüfend auf mich herab.

»Are you pregnant?«, fragt er, was ich hastig verneine. Ich meine, woher sollte ich auch schwanger sein …

»What is your problem?«

Ich weise auf meinen Magen: »I feel so sick. Here, in my stomach.« Mittels Gesten versuche ich ihm klarzumachen, dass ich mich mehrfach übergeben musste.

Mit seinen großen braunen Händen fängt er vorsichtig an, meinen Bauch abzutasten, und fragt, ob ich Schmerzen habe.

Nein, mir tut nichts weh, mir ist doch nur so furchtbar kotzübel, hundeelend, granatenmäßig *schlecht!*

»Are you pregnant?«, fragt er wieder.

Verdammt, ist der Mann schwer von Begriff? Andererseits, woher soll er wissen, dass er es hier vermutlich mit einer klitzekleinen Alkoholvergiftung zu tun hat? O Mist! Ich, als Frau in einem muslimischen Land, mutterseelenallein mit diesen beiden Kerlen. Da kann ich doch nicht hingehen und erzählen, dass ich zu viel gesoffen habe. Touristin hin oder her.

Jetzt sagt er irgendwas auf Arabisch zu dem Schmierlappen und zieht den Vorhang zu, sodass sich ein winziger, abgeschlossener Raum bildet. Nur der Arzt, die Liege und ich. Byebye, du lederblousontragendes Ekelpaket.

»My assistant«, klärt er mich auf, und ich frage mich flüchtig, wobei dieser Widerling ihm assistieren könnte.

Die Hände des Arztes setzen ihre Wanderung fort und drücken ein wenig auf meinem Bauch herum.

»Please, I have to look here«, sagt er und bedeutet mir, die Hüften anzuheben, damit er meine Hose herunterstreifen kann.

Ich bin so benommen, dass mir das nicht ungewöhnlich erscheint. Als ich jedoch dort liege, das Becken in die Luft gereckt, keimt irgendwo in meinem armen, vernebelten Kopf der Gedanke auf, dass dies eine recht ungewöhnliche Methode ist, um Übelkeit zu behandeln: Der Mann schiebt mit einer geschmeidigen, völlig selbstverständlichen Geste gleichzeitig mit der Jeans auch meinen Slip nach unten. Als wäre ich nur ein unbeteiligter Zuschauer, nehme ich die schwarzen Härchen auf seinen Handrücken wahr, sehe mein akkurat gestutztes, entblößtes Dreieck und spüre den klebrigen Kunststoff der Liege auf meiner nackten Haut, als ich den Hintern wieder ablege. Irgendwas stimmt nicht, irgendetwas ist komisch an dieser Sache …

Aber mein Gehirn läuft nur auf Notstrom, und deshalb habe ich keine Angst. Vielmehr schießt mir plötzlich ein absurder Gedanke in den Kopf: *Diese Situation ist wie aus einem Emanuelle-Film.*

Obwohl, so abwegig ist die Idee eigentlich nicht …

Der schöne Arzt befühlt jetzt meinen nackten Bauch. Sein Blick ist hoch konzentriert, irgendwie versunken.

»Are you pregnant?«, fragt er mit heiserer Stimme. Der Typ hat wirklich einen Sprung in der Platte.

»No, no! I'm not pregnant!« Na los Mädel, lass die Katze aus dem Sack. Ist ohnehin schon egal! »I'm just sick because I was drinking too much yesterday. Too much alcohol.« So, nun ist es raus.

Seltsamerweise scheint er mir gar nicht zugehört zu haben. Er betastet meine Blinddarmnarbe und die Gegend hart an der Schamhaargrenze.

»I had too much alcohol«, versuche ich nochmals, ihm die Diagnose zu erleichtern.

»Do you feel pain here?«, will er jedoch wissen.

»No.«

Er tastet sich über meine Leisten abwärts und drückt die Finger ein wenig in das Fleisch meiner Schenkel.

»Do you feel pain here?«

»No.« Was sollte mir da auch wehtun, wenn ich einfach zu viel getrunken habe?

Der Arzt ist jedoch sehr gewissenhaft. Seine Finger berühren jetzt sanft die empfindliche Haut an der Innenseite meiner Beine, und ich halte unwillkürlich die Luft an.

»Do you feel pain here?«

»No«, flüstere ich. Zu mehr bin ich gerade nicht in der Lage.

Da geschieht etwas Seltsames: Er platziert zwei seiner Finger dicht unter meinem Venushügel und spreizt mir damit blitzschnell die Schamlippen. Unmittelbar darauf liegen seine Hände wieder auf meinem Bauch. Das ging ganz fix. Fast so, als hätte ich es mir nur eingebildet.

Spinne ich jetzt oder was?

Dann frage ich mich allen Ernstes, ob der Typ wohl sehen wollte, ob ich beschnitten bin ... Ich kenne mich mit den ägyptischen Sitten nicht so aus, aber vielleicht ist meine Muschi total exotisch für ihn. Angst habe ich noch immer nicht, stattdessen freue ich mich, dass mir weniger übel ist. Mein Kreislauf scheint langsam auf Touren zu kommen.

Ja, ich gestehe, die Situation beginnt mir Spaß zu machen. So etwas erlebt man schließlich nicht alle Tage. Kurz muss ich an Mausi denken, die wird mir das bestimmt nicht glauben. Und dann wird sie sagen: »Warum passiert mir so was nie?« Sie ist Single und vögelt sich von einem Flop zum nächsten, da sie leider nicht den richtigen Dreh raus hat, einem Mann schon vor dem Abschleppen anzusehen, ob er den Weg nach Hause wert ist. Allerdings hat sie trotzdem mehr und wahrscheinlich immer noch besseren Sex als ich in meiner monogamen Beziehung. (Also … *ich* bin monogam, und Peter … auch … hoffe ich jedenfalls.)

Kein Wunder also, dass ich den attraktiven Doktor ungestört seine Arbeit machen lasse. Außerdem wäre es doch möglich, dass hierzulande *so* eine ganz normale Routineuntersuchung aussieht.

Gerade als ich argwöhne, ob diese Routineuntersuchung vielleicht auch ein Abtasten meiner Brüste einschließen wird, bedeutet mir mein Arzt, mich auf den Bauch zu drehen.

Obwohl mir hinten ja gar nicht übel ist, wälze ich mich herum. Das schäbige Plastik presst sich gegen meinen nackten Bauch, mein Geschlecht, meine Schenkel, und wieder überkommt mich das Gefühl, Hauptdarstellerin in einem billigen Film zu sein. Der Arzt streicht leicht über meinen Rücken.

»Any pain here?«, höre ich ihn fragen.

»No«, erwidere ich ernst, obwohl ich mir das Grinsen langsam kaum noch verkneifen kann.

Als er sich bewegt, streift sein Kittel meine Haut. Seine Hände gleiten an meinen leicht gespreizten Beinen hoch und betasten meine Pobacken. Einer seiner Mittelfinger taucht für den Bruchteil einer Sekunde dazwischen und stupst zielgenau gegen den Eingang meiner Möse.

Was war das denn???

Wieder ist es so schnell gegangen, dass es auch eine Täuschung hätte sein können.

Diese Art des Befummelns kenne ich nur allzu gut aus Teenagerzeiten. Damals wollten ungelenke Knaben so den Feuchtigkeitsgrad zwischen meinen Schenkeln testen, um sicherzugehen, dass sie den Ball ohne weiteres Vorspiel ins Tor bringen konnten.

Wollte dieser Kerl etwa sehen, ob ich nass bin??? Oder fiel das eben auch unter »Besichtigung einer exotischen Muschi«?

Anstatt irgendetwas zu tun, liege ich da, als wäre ich festgewachsen, und starre mit abgewandtem Kopf die Wand an.

Beim Umdrehen bin ich automatisch ganz an den Rand der Untersuchungsliege gerutscht, und nun wird mir plötzlich bewusst, dass der Körper des Arztes gegen meine Hüfte drückt. Genauer gesagt: sein Unterleib. Diese Beobachtung weckt ein paar meiner Lebensgeister und sorgt dafür, dass ich endlich wachsam werde. Spüre ich da nicht auf einmal hartes Fleisch, wo eigentlich nichts anderes als sein Kittel sein dürfte? Jetzt wird mir wirklich mulmig, was tun?

Der Druck an meiner Seite bleibt unverändert bestehen. Die Sekunden scheinen sich ins Unendliche zu dehnen, während die kräftigen Hände weiter behutsam meinen Hintern abtasten.

Das kann doch alles nicht wahr sein.

Moment mal, langsam ... Ist das womöglich wirklich der nackte, erigierte Penis eines wildfremden, attraktiven Mannes, den ich da an meiner Flanke spüre? Mein Puls nimmt Anlauf und schnellt in die Höhe, während mein Herz Break-Beats veranstaltet. Was soll ich bloß tun???

Ich bin nicht mutig genug, um den Kopf zu drehen, aber ich weiß auch so genau, wie *er* aussieht: stolz emporragend aus einem krausen Nest schwarzer Haare, glatt, fest und prächtig wie eine marmorne Säule, dunkel wie poliertes Holz und von feinnervigen Adern durchzogen. Das Drängen gegen meine Hüfte lässt nach und wird dann fast schmerzhaft intensiv, lässt wieder nach und steigert sich erneut, sodass ein gleichförmiger Rhythmus entsteht, dem die Hände auf meinem Po sich perfekt anpassen. Keinerlei Zurückhaltung liegt mehr darin. Das Kneten wird heftiger, immer wieder spreizt mir der Arzt dabei die Backen und drückt mich gegen die Liege. Diese derbe Behandlung lässt selbst die letzte verborgene Hautfalte zwischen meinen Beinen heiß und saftig werden, und als ich höre, wie er heftiger atmet, kann ich nicht verhindern, dass meine Schenkel sich weit öffnen, um mich ihm schamlos darzubieten.

Er umfasst meinen Körper, hebt mich hoch und schiebt mich zurecht, sodass ich jetzt vor ihm auf den Knien liege. Ich bin willenlos, er kann mit mir tun, was er will!

Da spüre ich seine Zunge. Nass und schwer gleitet sie auf meinem pulsierenden Geschlecht hin und her. Ganz langsam durchpflügt sie das geschwollene Fleisch und streift dabei hin und wieder wie zufällig meine Klit. Schlecht ist mir nun wahrlich nicht mehr, doch bin ich aus anderen Gründen einer Ohnmacht nahe.

Ich biege meinen Rücken ins Hohlkreuz, bis ich wie ein Fragezeichen aussehe, und recke und dränge ihm mein Becken entgegen. Keine einzige der wollüstigen Liebkosungen will ich verpassen!

Ein leichter Lufthauch gleitet über mich hinweg.

Der trennende Vorhang bewegt sich, wird ein Stück weit aufgeschoben, und durch den Spalt sehe ich den schmierigen Assistenten, wie er mit halb offenem Mund meine klaffende Möse anstiert. Seine Hosen hängen auf halb acht und geben den Blick auf einen kurzen, dicken Penis frei, dessen Kuppe er mit einer Hand massiert. Ich erstarre vor Schreck, will entsetzt aufbegehren, doch da schließen die Lippen des hemmungslosen Doktors sich endlich um meinen Kitzler. Er knabbert und saugt daran, reizt ihn virtuos mit seiner feuchten Zungenspitze. Ich wimmere, stöhne, spüre meine Säfte fließen. Dann, als es mir fast schon kommt, hört er auf.

Himmel, hilf! Ich bin so was von reif!

Der ungebetene Zaungast indes reibt sich weiter sein Ding. Es ist jetzt immerhin zur vollen Größe ausgefahren und erinnert mich an eine sehr dicke Kartoffel.

Da treibt mir der Arzt endlich mit einer einzigen präzisen Bewegung seinen herrlichen Schwanz hinein, sodass ich die Englein singen höre. Er umklammert meine Hüften und beginnt mich mit kräftigen, gleichmäßigen Stößen zu vögeln. Die Hände habe ich an der Wand abgestützt, und mit jedem Stoß scheuert meine Wange über das raue Holz.

Das ist gut, o ja, das ist sooo gut!

Der schwarz behaarte Wanst des Widerlings wackelt und bebt unter keuchenden Atemzügen. Immer heftiger bearbeitet er seinen Ständer, während sein Blick sich an unserem Fick festgesogen hat. Er steht nah genug, dass ich die zähen Tröpfchen sehen kann, die sich bereits an der Spitze sammeln. Die Eichel ist mittlerweile von dunkelvioletter Farbe und so prall, als würde sie jeden Moment platzen. Halb angeekelt, halb fasziniert beobachte ich, wie das Gesicht des Mannes eine ganz ähnliche Veränderung durchmacht, bevor er unter ersticktem Röcheln in langen Schüben ejakuliert. Mitten auf seinen braunen Lederblouson. Schade eigentlich.

Routinierte Hände spielen mit meiner Muschi und massieren die Schamlippen. Der Doktor stößt sein imposantes Instrument in mich und gleitet in mir hin und her, als wäre ich ein Topf Butter. Ganz tief spüre ich ihn, er füllt mich völlig aus, macht mich immer gieriger, ich will …

»I'll cure you oral and with a syringe.«

Mein Kopf fährt herum. Ich liege auf dem Bauch, die Untersuchung meines Allerwertesten scheint beendet. Der Arztkittel ist nach wie vor tadellos zugeknöpft – es blitzt kein Stückchen Haut, und der Vorhang weist nicht das kleinste Guckloch auf. Als der Arzt durch diesen hindurchtritt, öffnen sich die Stoffbahnen ein wenig, sodass ich den Assistenten sehen kann. Der sitzt noch immer auf seinem Stuhl, macht ein grimmiges Gesicht und hat eindeutig keine neuen Flecken auf dem Blouson.

Verflixtes Kopfkino! Hastig ziehe ich meine diversen Hosen hoch und überlege, was das englische Wort *syringe* bedeutet. Ach ja: *Spritze.* Ich muss grinsen, und ein wonniger Schauer krabbelt über meine Wirbelsäule, denn »oral und mit Spritze« hat er mir ja in gewisser Weise schon geholfen. Noch einen »Feuchtigkeits-Testgriff«, und ich wäre vermutlich wirklich fällig.

Im Hintergrund höre ich die beiden Männer kurze Sätze austauschen. Da sie Arabisch sprechen, klingen sie äußerst barsch, doch dann lachen sie. Über mich? Eine metallene Schranktür klappert, Wasser plätschert in ein Waschbecken.

»Oral« bedeutet wohl, dass ich ein Medikament einnehmen soll. Na gut. Mein Blick fällt auf den schmutzstarrenden Kunstlederbezug der Liege, und das erste Mal, seit ich diesen Raum betreten habe, durchfährt mich ein echter Schreck: eine Spritze … An so einem Ding kann ich mir in diesem Dreckloch hier doch alles Mögliche holen!

Er kommt zurück, und ich höre ihn mit etwas rascheln. Na gut, wenigstens ist die Injektionsnadel steril verpackt.

Zuerst reicht mir der Arzt allerdings ein Glas Wasser und eine Tablette. Verflixt, in Ländern wie diesem soll man als

Tourist doch auf keinen Fall Leitungswasser trinken, wegen der Bakterien … Ich würge also die Tablette mühsam mit einem Minimum an Flüssigkeit herunter, damit ich diesen Urlaub nicht auf der Toilette unseres Hotelzimmers verbringen muss. Eigentlich geht es mir ja ohnehin schon wieder gut, aber wie soll ich das plausibel erklären?

Vermutlich würde mir der Herr Doktor das auch übel nehmen, denn noch ist er offenbar nicht fertig mit mir. Als ich meinen Ärmel hochschiebe und ihm den Arm hinhalte, schüttelt er den Kopf, murmelt irgendwas und bringt mich wieder in Bauchlage.

Ach, ich närrisches Ding, *natürlich* wird er mir die Spritze in den Allerwertesten geben. Schwupps liege ich schon wieder halb nackt da, und selbstverständlich muss er noch mal meinen Hintern betasten. Könnte ja was weggekommen sein in den letzten fünf Minuten … Meine Schenkel halte ich diesmal vorsichtshalber ganz sittsam geschlossen. Jetzt setzt er die Nadel an und verpasst mir die Spritze. Das macht er sehr gut, es tut fast nicht weh, und seine Hand hat er tröstreich auf meine Pobacken gelegt.

Plötzlich fällt mir auf, dass meine Vertrauensseligkeit wirklich sträflich ist. Was, wenn er mir gerade eine Droge injiziert hat, die mich willenlos macht? Wenn der dicke Assistent in diesem Moment die Tür versperrt und dann beide Männer wie von Sinnen über mich herfallen und mir ohne jede Selbstbeherrschung abwechselnd ihre … STOPP!!!

Ich setze mich auf und zerre zum zweiten Mal Slip und Jeans hoch. Nicht noch mal so eine Sondervorstellung im Kopfkino!

Die Verabschiedung fällt aufgrund der Sprachbarriere recht kurz aus. Ich Gutmensch versuche auch noch, für die

Behandlung zu bezahlen, und bin ganz erstaunt, als der schöne Arzt kein Geld von mir will. Total aufgedreht bedanke ich mich und verlasse endlich den Raum. Im Hinausgehen sehe ich die beiden Männer breit grinsen. Sollen sie ruhig über mich lachen, Hauptsache, mir geht es besser. Genau genommen geht es mir sogar sensationell gut, ich bin direkt euphorisch. Dafür sorgt wohl die geheimnisvolle Spritze … und vielleicht auch das Adrenalin, das da in Überdosis durch meine Adern rauscht.

Peter erwartet mich vor der Tür, er hampelt nervös von einem Fuß auf den anderen. Neben ihm steht ein kleines, dünnes Männchen. Der arabische Reiseleiter.

»Na endlich, wo bleibst du denn?«, schnauzt Peter mich an. »Was hast du da drin so lange gemacht?«

»Danke, der Nachfrage, mir geht's besser«, pariere ich selig lächelnd.

Als wir die Zollformalitäten hinter uns gebracht haben und wieder unter uns sind, bemerkt Peter:

»Dir geht's ja auffallend gut. Was haben die dir denn gegeben?«

Ich erzähle von der Spritze und der Tablette und dem Leitungswasser und der schmuddeligen Liege, und ehe ich mich versehe, bekommt mein Freund die ganze Geschichte präsentiert. Vom runtergezogenen Höschen über den untersuchten Po bis zum verirrten Finger. Den heißen Beitrag meiner überaktiven Phantasie erwähne ich dabei natürlich mit keinem Wort. Dennoch macht Peter ein Gesicht, als hätte er in eine Zitrone gebissen.

»Das kann doch nicht wahr sein! Der spinnt wohl! Anzeigen sollte man den!«

Ich verstehe gar nicht, warum er sich so aufregt.

»Aber mir geht's viel besser, das ist doch wohl das Wichtigste, oder?! Außerdem ist ja nichts passiert.«

»Nichts passiert!«, schnaubt Peter. »Der Typ fummelt an dir rum«, *(ja!)* »schüttelt sich vermutlich gerade einen von der Palme auf dich«, *(au ja)* »und du sagst, es sei nix passiert!« Er redet sich in Rage. »Dir scheint das überhaupt nichts auszumachen, dir gefällt das offensichtlich auch noch!« *(O jaaa ...)*

Hui, er ist echt sauer. Eifersüchtig? Das finde ich ja fast schon wieder süß, bis ...

»Also, die Astrid, die hätte diesem Typen so was von eine gelangt, wenn er sich das bei ihr getraut hätte!«

Peng, das sitzt. Dieser miese, kleine ... Ich bin für einen Moment echt sprachlos. Dann, plötzlich, sehe ich ihm direkt in die Augen, lächle hinterlistig und frage:

»Und was hätte Emanuelle getan?«

Love Truck

»Hast du das Pfefferspray eingepackt, das ich dir gegeben habe?«

»Ja, Mama.«

»Und die Kondome! Vergiss um Himmels willen nicht, ein Kondom zu benutzen!«

»Nein, Mama.«

»Ruf mich *sofort* an, wenn irgendwas …«

»Katrin, hör endlich auf damit!«

»Aber …«

»Entspann dich, Kati! Ich leg jetzt auf.«

Mit diesen Worten beendete Sarah das Telefonat und wollte ihr Handy schon auf den Beifahrersitz werfen, als sie es sich anders überlegte und energisch auf Rot drückte, um das Ding ganz auszuschalten. Dreimal hatte Katrin sie innerhalb der letzten Stunde angerufen, um ihre schlimmsten Befürchtungen mit Sarah zu teilen, doch irgendwann musste Schluss sein.

Dabei war die Idee zu dieser ganzen Aktion auf ihrem Mist gewachsen …

Katrin war natürlich nicht ihre Mutter, sondern ihre allerbeste Freundin, und deshalb nahm sie – obwohl selber glücklich verliebt – stets regen Anteil an Sarahs Singleleben.

Dieses allerdings gestaltete sich schon seit geraumer Zeit nicht mehr sonderlich spannend. Als hätten sie sich gegen sie verschworen, schienen plötzlich alle brauchbaren Männer entweder verheiratet zu sein, oder sie waren schon wieder geschieden und trugen einen daraus resultierenden, offenbar unvermeidlichen Psychoknacks spazieren.

Hatte sie hingegen das zweifelhafte Glück, einen Single-Mann im adäquaten Alter zu treffen – diese vom Aussterben bedrohte Spezies –, verblüffte der ganz bestimmt eher früher als später mit einem bemerkenswerten Ego, Größe XXL – mindestens. Nicht zu vergessen die Typen, die eine fast intime Beziehung zu ihrem Job unterhielten. Deren meist ansehnliches Bankkonto konnte selten darüber hinwegtäuschen, dass sie ansonsten herzlich wenig zu bieten hatten.

Das Problem dabei war: Sarah verspürte weder Lust, bei einem Mann die Hobby-Psychologin zu spielen, noch wollte sie sich vollquatschen oder versorgen lassen. Alles was sie wollte, war, mal wieder ordentlich gevögelt zu werden.

Irgendwann hatte Katrin ihr dann eine pikante Idee präsentiert: Da exzessives Homeshopping am Computer zu Sarahs Lieblingsbeschäftigungen gehörte, könnte sie sich auf diesem Weg doch eigentlich auch einen Mann bestellen, wenn sie Lust darauf hatte …

Das Leuchtdisplay des Thermometers am Armaturenbrett zeigte immer noch 26 Grad, und das, obwohl es bereits auf Mitternacht zuging. Die schwüle Hitze kroch Sarah buchstäblich unter die Haut, um dort Unruhe zu stiften.

Nach dem sie Katrin abgewürgt, das Telefon endgültig ausgeschaltet und in ihrer Handtasche versenkt hatte, gab sie Gas. Sie brauste mit ihrem kleinen Cabriolet über die dunkle Autobahn, um wenigstens im Fahrtwind etwas Abkühlung zu finden, aber selbst Tempo 160 fühlte sich an wie ein warmer Föhn.

Diese beinahe tropisch anmutende Nacht schien wie für den Austausch von Körperflüssigkeiten gemacht – sozusagen.

Tatsächlich war erstaunlich wenig Überredungskunst nötig gewesen, um Sarah für diesen eher ungewöhnlichen Einkaufszettel zu begeistern – eher schon eine Flatrate. Die Freundinnen googelten nämlich tagelang wie wild und mussten feststellen, dass es für Männer überall, sozusagen an jeder virtuellen Ecke, Sex zu kaufen gab, als wäre er ein Supermarktartikel.

Frau musste schon etwas Phantasie und reichlich Durchhaltevermögen aufbringen, um die richtige Fährte zu finden. Zwischen unzähligen »willigen Weibern«, »rassigen Russinnen« oder »asiatischen Analludern« fanden sich zwar diverse »hammerharte Lustkolben« und »geile Hengste« – aber die waren leider nur für den schwulen Interessenten erhältlich.

Gut, sie entdeckten vereinzelt ein paar ambitionierte Hobby-Callboys, aber Sarah war nicht bereit, den Liebeslohn an einen Amateur zu verschwenden.

Dann stießen sie auf einen Escortservice, der auch Begleitung für Damen anbot. Sexuelle Dienstleistungen gehörten zwar ausdrücklich nicht zum Programm, jedoch konnte man diesbezüglich angeblich mit einigen der »Kavaliere« individuelle Vereinbarungen treffen.

Als Sarah und Katrin sich begeistert durch das Angebot der begleitungswilligen Herren scrollten, schwand ihre anfängliche Euphorie jedoch recht schnell. Es war der reine

Jammer, das definitive Ende eines jeden feuchten Traums: schnöselige Schnauzbartträger, fiese Föhnwellen-Fuzzis, grässlich geschniegelte Gigolos. Mit keinem dieser Männer hätte Sarah sich auch nur öffentlich gezeigt, geschweige denn ihm Geld für einen zweifelhaften Fick in den Rachen geworfen.

Aber die beiden suchten weiter – schließlich konnte es nur besser werden! Dank trotziger Ausdauer und einiger versteckter Links landeten sie endlich bei einer Agentur, die zu einem mehr als stolzen Preis gesunde, saubere, attraktive Spielgefährten für Heterofrauen vermittelte. Man bezahlte online und erhielt Vollzug auf Bestellung, in Situationen nach Wahl.

Wenn das nicht viel versprechend klang!

Es gab keine konkreten Fotos der Herren zu besichtigen, aber dafür konnte man statt einem einfachen Hausbesuch oder der klassischen Nummer im Hotelzimmer auch eine selbst gewählte Inszenierung buchen, was Sarah besonders gut gefiel. Auf einmal hatte sie Hummeln im Höschen.

Sie war im Besitz einer Kreditkarte, die aufwändig gestaltete Homepage wirkte absolut seriös, warum also nicht?!

Kurz entschlossen füllte sie den umfangreichen Kontaktfragebogen aus, was allein schon ein Vergnügen war, denn sie ließ ihrer Phantasie freien Lauf, entschied sich für die abenteuerliche Variante »spontaner Fick auf nächtlichem Autobahnparkplatz« und bestellte sich einen großen, muskulösen Kerl in der Rolle als Fernfahrer. Alter zwischen 25 und 40, dunkler Typ, stark behaart und männlich, gern bewandert in Dirty Talk. Denn schließlich: Wenn sie schon eine pornofilmreife Aktion plante, wollte sie auch kein Klischee auslassen!

Als Schauplatz des Treffens hatte Sarah bewusst einen Parkplatz an diesem vergleichsweise ruhigen Streckenabschnitt gewählt, damit sie und ihr Spielgefährte nicht durch die Pinkelpausen ungebetener Besucher gestört würden.

Die Autobahn war tatsächlich wenig befahren und Sarah um diese Uhrzeit fast allein auf der Straße. Vereinzelt schossen ein paar unvermeidliche Raser mit wahnwitzigem Tempo auf der Überholspur vorbei, um kurz darauf wieder von der Dunkelheit verschluckt zu werden. Einige wenige Lkw rollten langsam dahin, und ein Pick-up hielt mit eingeschaltetem Warnblinker auf dem Standstreifen, der Fahrer wartend daneben.

Sarah drosselte die Geschwindigkeit, wechselte auf die linke Spur und zog vorsichtig an ihm vorbei. Ihre Hilfe anzubieten hatte sie schließlich keine Zeit, und außerdem konnte sie sich doch nicht mitten in der Nacht einem völlig fremden Mann am Straßenrand ausliefern – viel zu riskant!

Sofort kam ihr zu Bewusstsein, wie absurd dieser Gedanke war. Immerhin hatte ihr kleiner Ausflug ein ziemlich gewagtes Ziel. *Natürlich* wurde sie langsam selber nervös, Kati hatte schon recht, die Nummer konnte gewaltig schief gehen, mochte sogar gefährlich werden, wie Abenteuer das eben so an sich hatten. Aber ganz bestimmt würde Sarah jetzt nicht mehr umkehren.

Vor ihrem geistigen Auge blitzten obszöne Bilder auf, Szenen voll schwülem, ausschweifendem Sex mit einem wilden Unbekannten, und zwischen ihren Schenkeln begann es zu zucken, wurde heiß und saftig vor lauter Vorfreude.

Der sündhaft teure, hauchdünne Seidenslip klebte jetzt ausgesprochen unangenehm an ihren feuchten Schamlippen, und da sie für vernünftige Überlegungen ohnehin nicht mehr empfänglich war, steuerte Sarah den Seitenstreifen an, wo sie leicht schlingernd zum Stehen kam. Hastig griff sie unter ihr leichtes Sommerkleid, hob den Po und streifte das störende Höschen einfach ab. Wenn schon, denn schon.

Hupend donnerte ein Tanklastzug vorbei. *War das vielleicht ihr Date?*

Sie gab wieder Gas und ließ unter Triumphgeheul das winzige Dessous im Fahrtwind flattern. Als sie nun ihrerseits den schweren Lkw überholte, schickte ihr dieser erneut eine so markerschütternde Hupsalve hinterher, dass Sarah beinah von der Straße abgekommen wäre. Vor Schreck ließ sie den Slip los.

89 € spitzenbesetztes Nichts segelten durch die Luft und landeten mitten auf der Windschutzscheibe des Tanklasters. Wieder ließ der Fahrer die Hupe dröhnen, und da er in dieser Nacht definitiv weder mit Sarah noch mit irgendjemand sonst verabredet war, versüßte er sich den Rest der langweiligen Fahrt mit lustvollen Phantasien, in welchen eine liebestolle Cabriofahrerin und ihr Schlüpfer eine tragende Rolle spielten.

Seine Scheinwerfer waren gerade aus ihrem Rückspiegel verschwunden, als Sarah den Treffpunkt erreichte.

»Ich wusste gar nicht, dass du auf Menschenaffen stehst!« hatte Katrin ihre Wahl kommentiert und leicht angewidert die Nase gerümpft, mit der sie vor lauter Aufregung fast am Monitor klebte.

»Wenn er mir nicht gefällt, haue ich eben ungevögelt wieder ab.« Sarah hatte soeben eine ganz entscheidende Klausel entdeckt: Bei Nichtgefallen war, unter Gewährleistung voller Gebührenerstattung, problemlos der Rücktritt vom Vertrag möglich. In diesem Fall hätte sie nur die Fahrtkosten des gebuchten Herrn zu begleichen.

Das war ihr der Versuch allemal wert, und so hatte sie beherzt auf SENDEN geklickt.

Wie erwartet lag der Parkplatz menschenleer da. Die Neonröhren an dem tristen, grauen Toilettenhäuschen beleuchteten geisterhaft einzig einen gewaltigen schwarzen Sattelschlepper, der verlassen quer in der Parkbucht stand.

Ihre Verabredung war also pünktlich. Sarah ließ das Cabrio in einiger Entfernung zu dem geparkten Truck ausrollen. Angestrengt hielt sie Ausschau nach dessen Fahrer, aber nirgendwo rührte sich etwas.

Sie griff nach ihrer Handtasche, stieg aus dem Wagen und näherte sich zögernd der wenig einladenden Bedürfnisanstalt, um sich noch mal frisch zu machen. Jetzt war ihr doch ziemlich mulmig zumute.

Ihr Herz klopfte wie verrückt, und sie konnte förmlich hören, wie es einen Schlag aussetzte, als plötzlich die Tür des Pissoirs aufging und eilig ein Mann heraustrat. Erst schien er sie gar nicht wahrzunehmen, aber dann sah er hoch, ihre Blicke trafen sich, und er blieb stehen. Bevor er jedoch etwas sagen konnte, flüchtete Sarah sich in die Damentoilette und verriegelte die Tür. Heftig atmend lehnte sie sich gegen die Wand.

Das musste er sein! Besser hätte die Agentur ihren Wünschen nicht entsprechen können: Der Kerl maß sicherlich weit über einen Meter neunzig, war sehr muskulös und maskulin, hatte volles schwarzes Haar und einen dunklen Bartschatten. Soweit es auf die Schnelle erkennbar gewesen war, trug er speckige, abgeschabte Bluejeans und ein ausgefranstes, ärmelloses kariertes Hemd, in dessen Ausschnitt sich reichlich Brusthaar ringelte.

Und wenn er es nicht war? Feige Ausrede! Die Beschreibung passte perfekt, niemand sonst ließ sich blicken, und es war genau Mitternacht, wie vereinbart. Sarah kramte entschlossen ein Kondom aus der Tasche, verbarg es in ihrer linken Hand und öffnete die Tür der WC-Kabine. Vielleicht hatte er sich schon aus dem Staub gemacht!

Dann sah sie ihn. Er stand mitten auf der Straße, neben ihrem Wagen, und wartete auf sie. Er war wirklich verdammt groß.

Die warme Nachtluft kitzelte vorwitzig ihre nackte Muschi unter dem dünnen Sommerkleid. Das fühlte sich schutzlos an, und mit einem Mal hätte sie sonst was für ihr Höschen gegeben. Unwillkürlich ließ Sarah die freie Hand in ihre Tasche gleiten und umklammerte das Pfefferspray, dann setzte sie sich mit wachsamen Schritten in Bewegung. *Sie würde das jetzt durchziehen!*

Als sie den Mann fast erreicht hatte, sprach er sie an:

»Entschuldigen Sie bitte«, hörte sie seinen tiefen Bass, »haben Sie vielleicht eine Zigarette für mich?«

»Nein«, antwortete Sarah reflexartig, »ich rauche nicht.«

»Oh«, sagte der Mann, »das ist gut. Ich auch nicht.«

»Warum fragen Sie mich dann nach einer Zigarette?«

Erst schien er verlegen, doch dann erklärte er: »Ich wusste nicht, wie ich Sie ansprechen soll, ohne Sie zu erschrecken.«

Sarah entspannte sich merklich, zog sacht die Hand aus der Tasche. Der Typ war gut. Seine ganze Art erleichterte ihr den Einstieg in die Show.

»Und warum wollten Sie mich ansprechen?«, fragte sie herausfordernd.

Wieder schien er zu zögern. Dann:

»Sie sind sehr hübsch. Einer wie ich bekommt so was nicht alle Tage zu sehen. Auf der Straße kann es nämlich ziemlich einsam sein.« Bei diesen Worten wies er mit einer Kopfbewegung auf den schwarzen Sattelschlepper. *Jawohl, hoch lebe das Klischee!*

»Und was möchten Sie jetzt mit mir tun, nachdem sie mich angesprochen haben?« Sarah fühlte sich zunehmend sicherer. Die Erregung kehrte zurück.

»Ich weiß nicht«, entgegnete der Mann scheinbar verlegen, »ich habe ehrlich gesagt nicht damit gerechnet, dass Sie überhaupt antworten.«

Sehr gut, er wollte ihr die Initiative überlassen. Zum ersten Mal musterte sie ihr Gegenüber ganz ungeniert.

Dunkelbraune Augen, die ein wenig schräg standen, eine markante Nase und sehr genussfreudige Lippen. Direkt schön war er nicht, dieser »Liebesdiener«, aber es ging eine geradezu irritierende Männlichkeit von ihm aus, die ihn hier und jetzt, in seiner Rolle als Fernfahrer, seine Wirkung nicht verfehlen ließ. Allerdings, stellte sie bei sich fest, war er vielleicht sogar ein wenig älter als 40, doch das tat seiner Anziehungskraft keinen Abbruch. Plötzlich wusste Sarah, dass sie einen überaus befriedigenden Gegenwert für ihr Geld bekommen würde.

Sie standen etwa drei Schritte weit auseinander, ihr »Trucker« hatte die Hände in die Hosentaschen geschoben, gab sich noch passiv.

Dann mal los!

Sarah hob ganz langsam den Rock, sodass ihre gebräunten Oberschenkel sichtbar wurden.

Der Mann blickte aus zusammengekniffenen Augen abwartend zu ihr hinunter. Winzige Schweißtropfen bildeten sich auf seiner Stirn.

Höher und höher rutschte der dünne Stoff, entblößte Sarahs nackte Scham.

Der Mann schluckte, blieb jedoch bewegungslos stehen.

Sarah zitterte leicht, sie machte so etwas schließlich auch nicht jeden Tag. Mit der linken Hand hielt sie den Rock gerafft, die rechte ließ sie zwischen ihre Beine gleiten. Feuchtigkeit. Sie tastete über die geschwollene Haut und schob ihren Mittelfinger tief in sich hinein. Ohne Widerstand glitt er durch das nasse Fleisch.

Ein undefinierbarer Laut kam aus der Kehle des Fremden, der mit starrem Gesichtsausdruck jede ihrer Bewegungen verfolgte.

Eine abgefahrene Situation, denn Sarah spürte, dass sie diesen Mann, der ja immerhin käuflich war, sehr erregte. Na also, sie kannte die Spielregeln genauso. Das gab ihr ein Gefühl von Macht.

Sie tat einen Schritt auf ihn zu und hielt ihm kommentarlos das Kondom hin. Da gab er seine distanzierte Haltung auf, spielte nicht länger den Schüchternen, sondern langte nach dem Gummi, griff nach ihr und presste sie dann hart gegen seinen Körper. Sie war viel kleiner als er, deshalb drängte die harte Beule im Schritt seiner Jeans weit oben gegen ihren Bauch. Ungeduldig hob er Sandra hoch, sodass sie fast auf seiner Gürtelschnalle zu sitzen kam. Dabei krallte er die Hände in ihre Arschbacken und küsste sie heftig und nass. Seine Zunge wühlte sich förmlich in ihren Mund, schmeckte aufregend fremd.

Sarah knutschte wild zurück, rieb hemmungslos ihre Möse an ihm und fühlte sich wie ein Teenager beim Sammeln erster verbotener Erfahrungen.

Der Mann riss am Ausschnitt ihres Kleides, Nähte krachten, dann rieb er seinen Dreitagebart an ihren bloßen Brüsten, biss in die Nippel und brachte sie damit an die Grenze zwischen Schmerz und Lust. Ihre heiseren Schreie mischten sich mit dem röhrenden Motorengeräusch eines Sportwagens, der auf der Autobahn an ihnen vorbeiraste.

Vor der Kulisse des nächtlichen Parkplatzes, des schwarzen Sattelschleppers und der öffentlichen Toiletten wurden die beiden von den grellen Neonröhren in kaltes Licht getaucht. Es spiegelte sich in dem dünnen Schweißfilm auf Sarahs Haut und offenbarte die Lust im herben Gesicht des Fremden.

»Ich will dich ficken«, stieß er hervor.

Hurra, ein doppeltes Hoch auf das Klischee!

»Dann fick mich«, raunte Sarah ihm ins Ohr, »fick mich mit deinem großen, harten Schwanz. Ganz tief und fest …«

»Das kannst du haben!«, knurrte er, und, sie vor sich her tragend, als wäre sie gewichtslos, marschierte er mit langen Schritten an dem Toilettenhäuschen vorbei. Verließ den Dunstkreis von Desinfektionsmittel und Fäkalien, das aufdringliche Licht, und setzte sie ein Stück weiter, hinter seinem Truck, auf einem der steinernen Picknicktische ab, an denen tagsüber brave Familien ihren Reiseproviant vertilgten.

Der Beton fühlte sich unter ihrem nackten Hintern kalt und grob an, und sie rutschte bis nach vorn an die äußerste Kante des Tisches.

Wie ein Riese stand der Mann über ihr. Sie griff nach seinem Hemd, riss es ohne Rücksicht auf die Knöpfe einfach auf und grub die Finger in den schweißfeuchten Brustpelz.

»Na komm schon«, seine tiefe Stimme war belegt, »fass mich endlich an, hol meinen Schwanz raus!«

Sarah gehorchte, zerrte ungeduldig an seinem Gürtel, fummelte an den Knöpfen der Jeans herum und streifte ihm endlich auch noch die weiße Feinripp-Unterhose hinunter. Von seinem Nabel abwärts zog sich verlockend eine schmale, dunkle Haarlinie, die weiter unten direkt in üppigem Schamhaar verschwand. Fleischig und pulsierend erhob sich daraus sein erigierter Penis. Sie hörte den Mann laut atmen.

Mit allen zehn Fingernägeln kratzte sie über seinen Bauch, immer fester, bis sie rote Striemen auf der Haut hinterließ, dann senkte sie den Kopf und folgte mit ihrer Zunge der Spur der Härchen, dem natürlichen Wegweiser.

Ein sämiger, tierhafter Geruch stieg ihr in die Nase, und sie vergrub stöhnend das Gesicht in seinem dichten Busch, den köstlichen Duft tief in ihre Lungen saugend. Mit den Lippen streifte sie schwere Hoden, glitt mit der Zunge darüber und schloss gleichzeitig die Hände eng um seinen Schaft.

Sie richtete sich auf, als sie ihn wichste, doch nicht lange, und der Fremde griff nach ihrem Kopf. Drückte ihn wieder nach unten.

»Los, lutsch mir den Schwanz, Baby«, keuchte er, während er ihr den Steifen in den Mund schob.

»So ist es gut, das ist geil!« Er bewegte seine Hüften schneller, sie beugte sich weit vor, um ihn ganz aufnehmen zu können, und presste dabei ihre Klit heftig gegen den schartigen Beton, auf dem sie saß.

Der Mann sprach weiter, in unzusammenhängenden, versauten Satzfetzen, die Sarah unglaublich antörnten, aber plötzlich riss er sie ruckartig zurück, sodass sein Schwanz aus ihrem Mund rutschte.

Schwer atmend stand er da, dann strich er ihr das Haar aus dem Gesicht und stieß in einem aufreizenden Kuss seine nasse Zunge zwischen ihre Lippen.

»Ich will dich überall küssen«, flüsterte er rau, »jeden Zentimeter an deinem Körper will ich ablecken, damit ich ihn für den Rest meines Lebens nicht mehr vergesse!«

Und er leckte. Er leckte über die zarte Haut ihrer Ohrmuschel, grub die Zähne in ihre Halsbeuge, leckte abwärts zu ihrem Busen, saugte heftig an den Knospen, zeichnete mit dem Mund ihre Rippenbögen nach und bohrte die Zunge in ihren Bauchnabel. Er umfasste ihre Fußknöchel, hob ihre gestreckten Beine hoch in die Luft und biss sie in die Kniekehlen, um von dort aus seine Lippen wie eine feuchte Schnecke ihren Oberschenkel entlangkriechen zu lassen.

Wow, wenn das nicht erstklassiger Dienst am Kunden war – vom Feinsten!

Noch bevor er begann, sie auszuschlecken, spürte sie seinen heißen Atem auf ihrer Möse und legte sich zurück. Die Kühle der Tischplatte jagte ihr einen Schauer durch den erhitzten Körper, doch ihre Gänsehaut und die steifen Nippel hatte sie nur der drängenden Zunge des Fremden zu verdanken, mit der er wenig geschickt, aber trotzdem sehr lustvoll über ihren Kitzler rieb.

»Fick mich jetzt«, flehte Sarah, als sie glaubte, den intensiven Reiz nicht länger aushalten zu können, »komm, mach's mir!«

Er richtete sich auf, zog das Kondom aus der Brusttasche seines Hemdes, packte es aus und rollte es eilig über.

»Ich werde dich ficken, dass dir Hören und Sehen vergeht!«

Der erste Stoß kam schnell und überraschend. Sie hatte

kaum die Beine um seine Taille gelegt, da versenkte er ohne weitere Vorwarnung, fast brutal, seinen Schwanz in ihr.

Für einen Moment lag Sarah ganz still, um wieder zu Atem zu kommen, dann bäumte sie sich auf, verstärkte den Druck ihrer Schenkel und hämmerte im Rhythmus seiner Bewegungen ihre Fersen gegen seinen Hintern. Er fickte sie tiefer, ohne jede Raffinesse, und machte dennoch seine Sache unglaublich gut, weil er nicht nur steinhart, sondern auch vollkommen enthemmt war. Seine üppige Körperbehaarung verströmte das Aroma von purem Sex. Er katapultierte sie in den siebten Himmel.

Die Bewegungen des Mannes wurden immer härter und kürzer, unbeherrschter. Er hatte die Augen fest geschlossen, atmete gepresst, und Sarah legte jetzt Hand an sich, damit er ja nicht ohne sie durchs Ziel ging. Mit einem wilden Schrei warf er den Kopf zurück, sein Schwanz zuckte tief in ihrem Inneren, und weil sie genau wusste, wie sie sich anfassen musste, kam es auch ihr schnell in heftigen, befreienden Spasmen. *Ein dreifaches Hoch auf das …*

Nach dem kurzen, eher unpersönlichen Abschied trugen Sarahs wacklige Beine sie kaum zu ihrem Auto zurück. Sie setzte sich in den Wagen und registrierte, dass ihr Rücken – was für ein verräterisches Souvenir – an einigen Stellen schmerzhaft aufgescheuert war.

Genau das hatte sie gebraucht. Triebhaften, ehrlichen, schnörkellosen Sex. Warum war sie nicht schon viel früher darauf gekommen, sich einfach eine heiße Nummer zu kaufen!

Selbstverständlich musste sie sofort Katrin anrufen und Bericht erstatten, denn die saß vermutlich neben dem Telefon und machte sich vor Angst fast in die Hosen.

Drüben in der Fahrerkabine des Sattelschleppers ging das Licht an.

Sie kramte ihr Handy aus der Tasche, und kaum hatte sie es eingeschaltet, klingelte es auch schon. Die arme Kati versuchte vermutlich im Minutentakt, sie zu erreichen.

Sarah drückte schnell auf Grün und rief: »Melde mich lebendig zurück … Hallo?«

»Äh … hallo?!«, dröhnte da eine etwas aufgeregte Männerstimme aus dem Hörer. »Gott sei Dank! Seit über einer halben Stunde versuche ich Sie zu erreichen! Hier ist … äh, der … Trucker-Toni …, wir waren verabredet, aber ich … mein Pick-up, also … mein Wagen hatte leider eine Panne!«

Das Telefon am Ohr, bekam Sarah einen Riesenschreck und starrte entgeistert zu dem schwarzen Lkw hinüber, dessen Motor gerade ansprang.

»Hallo, hören Sie mich?«, fragte der Anrufer nervös. »Wie sieht's aus? Ich könnte jetzt noch kommen!«

Sarah lehnte den Kopf gegen die Nackenstütze und sah grinsend den kleiner werdenden Rücklichtern des schweren Sattelschleppers hinterher.

»Danke, aber ich nicht mehr …«

Eva im Paradies

»Schau mal, Schatz, das wäre doch was für dich!« Michael schob eine Seite seiner Morgenzeitung quer über den Frühstückstisch, wobei er sie einmal durch den Grünkernaufstrich zog und fast seine Tasse Pu-Erh-Tee über das Vollkornschrotbrot geschüttet hätte. Eva, die sich durch derlei Unachtsamkeit schon lange nicht mehr aus der Fassung bringen ließ, warf einen flüchtigen Blick hinein, während sie in ihr dick mit Butter und Leberwurst bestrichenes Brötchen biss. Vermutlich wieder ein Artikel über eine Frauengruppe, *Tastendes Töpfern* oder *Beatme die Göttin in dir* oder Ähnliches, denn das waren Freizeitaktivitäten, bei denen Michael sie gern gesehen hätte.

Dabei hatte Michi früher Interessen gehabt wie jeder andere Mensch auch. Und seine Essgewohnheiten waren ebenfalls ziemlich alltäglich gewesen. Irgendwann, im Laufe der gemeinsamen Ehejahre, war dann eine Veränderung mit ihm vor sich gegangen, unmerklich erst, doch dann immer drastischer. Heute saß ihr eine ernährungs- und umweltbewusste, käsige, magere und ziemlich freudlos aussehende Spaßbremse gegenüber, die nur unter häufigen Missfallensbekundungen Evas »unreflektierten« Lebenswandel ertrug.

Umso erstaunter war Eva, als sie feststellte, dass der

Artikel, den Michael ihr unter die Nase hielt, sich um ein neu eröffnetes, sehr schickes Fitnessstudio drehte, gekrönt von der geradezu marktschreierischen Überschrift:

Das Paradies auf Erden – nur für Damen!

»Du weißt doch, dass ich Sport nicht ausstehen kann«, maulte Eva dennoch und wollte seinen aufdringlichen Arm mit der Zeitung von sich schieben.

Es stellte einen Quell unzähliger fruchtloser Diskussionen dar, dass Michael begeisterter Waldläufer war – die herrliche Natur! –, während Eva am liebsten zu Hause faulenzte. Seine Predigten, sie müsse sich regelmäßig bewegen, damit sie bis ins hohe Alter fit und geistig aktiv bliebe, kamen ihr längst zu den Ohren heraus. Er musste wirklich überzeugt von seiner Theorie sein, wenn er jetzt sogar so weit war, ihr eine Hightech-Muckibude vorzuschlagen.

»Nun lies doch mal«, quengelte er prompt. »Wenn du dich schon nicht zu Bewegung in freier Natur aufraffen willst, macht es dir vielleicht wenigstens Spaß, wenn du dabei ... Fernsehen kannst!« Den letzten Teil des Satzes spuckte er allerdings mit hörbarer Todesverachtung aus, denn sicherlich wusste er schon, dass in Sportstudios auf dem Laufband gemeinhin niemand ARTE oder ähnlich Erbauliches guckte.

Widerwillig griff Eva nach der beschmierten Zeitung und überflog den Artikel. Tatsächlich klang er gar nicht so ohne. Die Reporterin, die ihn verfasst hatte, kriegte sich kaum noch ein vor Lobesbezeugungen: Von modernster Ausstattung war die Rede, von geschmackvollem Interieur, entspannter und vor allem entspannender Atmosphäre sowie der außergewöhnlich persönlichen Betreuung unter Beachtung jedweder Besonderheiten weiblicher Anatomie. Um diesen hochgesteckten Zielen vollends entsprechen zu können, gewährte *Ladies Paradise*, wie der viel versprechende Name bereits sagte, nur Damen Zutritt. Eine Mitgliedschaft in diesem exklusiven Club hatte zwar seinen Preis, doch laut der begeisterten Autorin war dieser – im Verhältnis zu dem, was man dafür bekam – quasi geschenkt.

Direkt neben dem Artikel hatte *Ladies Paradise* eine Anzeige geschaltet, und Eva staunte, als ihr die Höhe der Monatsbeiträge ins Auge sprang. Wow, da musste man aber wirklich was geboten bekommen für sein Geld, denn sonst hätte man sich damit in null Komma nichts einen Kleinwagen zusammengespart.

Trotzdem, Sport war Mord – ob nun im Wald, im Turnverein oder in einem schicken Wellness-Tempel.

»Du hast doch so viel Tagesfreizeit«, insistierte Michael weiter, »und deinem Hintern würde es auch nicht schaden!«, fügte er mit einem hinterlistigen Grinsen hinzu.

Eva sprang natürlich sofort darauf an. Was bildete sich dieses makrobiotisch ernährte Gerippe eigentlich ein?! Ihr Hintern war zwar ziemlich rund, aber deshalb trotzdem nicht zu verachten! Bei den wenigen Anlässen, zu denen Michi ihr Gelegenheit gab, sich im Bett an seinen Knochen zu stoßen, schien er jedenfalls nichts an ihrer Kehrseite auszusetzen zu haben … Im Gegenteil.

Apropos – wie lange war das letzte Mal eigentlich schon wieder her? Definitiv *zu lange*, wenn Eva an ihre erwähnte Tagesfreizeit dachte, die sie seit einiger Zeit regelmäßig mit einem batteriebetriebenen Lustspender verbrachte. *Nicht lange genug*, wenn sie – ganz objektiv – Michi ansah, wie er da hühnerbrüstig vor ihr am Frühstückstisch saß. Wobei sie dennoch wusste, dass sie es schlechter hätte treffen können. Irgendwie hing sie ja doch an ihrem Mann, trotz all seiner

Macken, und sooo ein schlechter Liebhaber war er eigentlich auch nicht. Leider durfte Eva sich jedoch immer seltener von dieser Tatsache überzeugen, denn seit sie sich weigerte, ihn oral zu befriedigen, rächte er sich, indem er sehr nachlässig in der Erfüllung seiner »ehelichen Pflichten« geworden war. Früher hatte er nämlich regelmäßig verlangt, dass sie ihm einen blies, bis es ihm kam, und das ... fand sie einfach nur widerlich! Selbst ihre schlaue Argumentation, er – als erklärter Veganer – würde doch im umgekehrten Fall auch kein Sperma schlucken, fruchtete nicht.

»Dann habe ich ja Glück, dass du ein Allesfresser bist«, erwiderte er damals lapidar, worauf die Theorie für ihn erledigt gewesen war und er sie mal wieder zum praktischen Teil hatte nötigen wollen, indem er ihren Kopf zu seiner erigierten Ökogurke runterdrückte.

Da hatte sie dann einmal kurz zugebissen – nur ein kleines bisschen – und seither vehement jeglichen oralen Einsatz verweigert, was wohl kaum verwunderlich war. Daraufhin war ihr allerdings bald nichts anderes übrig geblieben, als sich besagten Vibrator zu kaufen.

»Was ist nun?«, durchdrang Michaels eifrige Stimme ihre Gedanken. »Geh doch heute Nachmittag einfach mal da hin!«

Warum beharrte ihr Mann nur so auf diesem Fitnessstudio? Womöglich bildete er sich ja ein, dass in diesem »Paradies für Damen« ein paar Gespielinnen für gemeinsame flotte Dreier mit ihm abfielen? Dieses Thema begeisterte ihn nämlich wie alle Kerle, und außerdem dürfte er dabei vielleicht endlich mal wieder auf den einen oder anderen Blow-Job hoffen. Womöglich rechnete er sich auch einfach Chancen aus, seine Frau könne dort – so ganz unter

Geschlechtsgenossinnen – einer Fellatio-begünstigenden Gehirnwäsche unterzogen werden.

Argwöhnisch äugte sie zu ihm hinüber.

»Hast du nicht gesehen, wie teuer das ist?«, fragte sie, sich nur allzu deutlich daran erinnernd, wie sehr er jegliche Form von Verschwendungssucht verurteilte.

»Ach Schatz«, antwortete Michael salbungsvoll, »wenn du auf diesem Weg endlich was für deine Gesundheit und dein Wohlergehen tust … Es ist ja nicht so, dass wir uns das nicht leisten könnten.«

Wo er recht hatte, hatte er recht.

Eva hatte irgendwann sogar ihren Job aufgegeben, so gut verdiente Michi als Beamter in gehobener Laufbahn. Damit war zwar ihre Unabhängigkeit futsch, aber wozu sollte sie sich abstrampeln, wenn ihr Mann mehr als genug für sie beide verdiente? Und überhaupt: Er wollte doch nur, dass es ihr gut ging; die Hintergedanken in diesem Fall hatte sie und nicht er!

Eva schämte sich ein bisschen für ihr Misstrauen, und da sie tatsächlich neugierig auf dieses »paradiesische« Fitnessstudio geworden war, stimmte sie einem Probebesuch schließlich gnädig zu.

Der Zeitungsartikel hatte nicht zu viel versprochen. *Ladies Paradise* unterschied sich auffallend von allen anderen Fitnessstudios, die Eva im Lauf ihres Lebens finanziell unterstützt hatte, ohne wirklich hinzugehen: Hinter der gläsernen Eingangstür, welche eindrucksvoll vom Bild eines überdimensionalen goldenen Apfels geschmückt wurde, um den sich eine korallenrote Schlange wand, öffnete sich ein Wunderland an Geschmack, Stil und Perfektion. Die erstklassigen, hypermodernen Trainingsgeräte waren in den weitläufigen Räumlichkeiten des Erdgeschosses so geschmackvoll in die exquisite Innenausstattung integriert, dass der übliche Gedanke an eine Folterkammer gar nicht erst aufkam. Ein unaufdringlicher musikalischer Klangteppich waberte durch die lichten Räume, während man sich an jedem Trainingsgerät über Kopfhörer individuell beschallen lassen konnte. Unzählige Grünpflanzen sorgten für ein angenehmes Klima, und der Hauch eines köstlich sinnlichen Blütendufts lag in der Luft.

Eva fühlte sich spontan sehr wohl, all ihre Sinne reagierten auf die harmonische Atmosphäre, und ihr kam der Gedanke, dass hier sogar Sport Freude machen könnte.

In der Annahme, ausschließlich Frauen anzutreffen, hatte sie einfach ausgeleierte Leggings und ein altes Hemd von Michael angezogen; eine Wahl, die sie bitter bereute, als ein sehr attraktiver, junger, dunkelhaariger Mann im Sportdress auf sie zukam, sich als Julio vorstellte und sie bei *Ladies Paradise* willkommen hieß.

Julio erklärte ihr, er sei einer der Personal-Trainer, die hier das individuelle Einzeltraining abhielten, und werde sie herumführen. Gerne nahm Eva das Angebot an. Sie staunte über das ausgefeilte Konzept dieses Fitnessstudios, das weder sportlich orientierte noch anspruchsvolle ästhetische Wünsche offen zu lassen schien. Gemeinsam bestiegen sie den dezent illuminierten Fahrstuhl, der sie in den ersten Stock brachte, wo Julio ihr stolz eine große Poollandschaft präsentierte, die an ein üppiges römisches Bad erinnerte. Dann wies er auf eine Tür, hinter welcher sich die Saunen und Dampfbäder anschlossen.

Dort habe er keinen Zutritt, bemerkte Julio lächelnd –

eine Selbstverständlichkeit, welche Eva zu bedauern begann, als er ihr danach die einzelnen Sportgeräte vorführte und sie bloß mit halbem Ohr den Erklärungen lauschte, die er mit tiefer Stimme von sich gab, ohne auch nur ansatzweise außer Atem zu kommen. Abgelenkt betrachtete sie seinen muskulösen Körper, der nicht aufgeblasen war wie bei einem Bodybuilder, sondern schlank und definiert. Ein hübscher Po wölbte seine schwarzen Trainingshosen, die tief auf schlanken Hüften saßen, und ein entzückender Bizeps spannte die Ärmelkante seines weißen T-Shirts. Als er ihr das Rudergerät demonstrierte, offenbarte sich ein hinreißender Latissimus, der seinem Rücken unter den breiten Schultern eine perfekte V-Form verlieh. Eva hätte stundenlang zusehen können, doch da waren sie bereits am Ende der Einweisung angekommen, und Julio geleitete sie noch bis zur Tür des Lifts, der auch zu den Umkleideräumen im Untergeschoss führte. Sodann verlieh er seiner Hoffnung Ausdruck, sie wolle Mitglied bei *Ladies Paradise* werden, und verließ sie mit einem letzten intensiven Blick.

Gedankenverloren spazierte Eva zu ihrem Spind und öffnete ihn mit der Chipkarte, die sie einmalig für diesen Informationsbesuch ausgehändigt bekommen hatte.

Und ob sie Mitglied werden würde! Das vorangegangene Probetraining hatte vollauf genügt, um ihr Lust auf diesen exklusiven Sportclub zu machen. Außerdem wäre sie ja schön blöd, es nicht auszunutzen, wenn ihr Mann schon mal die Spendierhosen anhatte! Und falls ihre neue Sportbegeisterung sich legen würde – obwohl das schwer vorstellbar war, nachdem sie Julio kennen gelernt hatte –, konnte sie es sich immer noch im Wellness-Bereich gut gehen lassen …

Eva hatte die Leggings und das verblichene Hemd abgelegt

und betrachtete sich eingehend in der Spiegelwand gegenüber den Schließfächern. Vielleicht hatte Michi ja doch recht ... Als sie sich umdrehte und mit verrenktem Hals ihre Kehrseite begutachtete, fand sie diese plötzlich gar nicht mehr so ansehnlich. Einen Julio könnte sie damit bestimmt nicht hinter dem Ofen hervorlocken!

Wenig später saß sie in einem weichen, rot seidenen Sessel der Chefin von *Ladies Paradise* gegenüber und füllte die Anmeldeformulare aus. Nachdem sie mit leichter Hand Michaels Bankverbindung eingetragen und das Ganze unterschrieben hatte, reichte ihr die distinguierte, alterslos wirkende Dame eine schmale, kühle Hand, hieß sie herzlich willkommen und wünschte ihr mit angenehmer Stimme viel Vergnügen. Dabei musterte sie Eva mit einem so eindringlichen Blick, als könne sie damit den Grund ihrer Seele erforschen.

Als Eva das *Ladies Paradise* verließ, prangte auch an ihrem Revers die hübsche kleine Brosche, die ihr im Trainingsraum bereits an den anderen Frauen aufgefallen war: ein filigraner, goldfarbener Apfel, um den sich in Miniaturgröße eine korallenfarbene Schlange wand. Dieser Anstecker trug eine registrierte Nummer und war so etwas wie ihr Mitgliedsausweis, denn er enthielt auf einem Mikrochip ihre persönlichen Daten. Außerdem diente er als Öffner für die Schließfächer sowie für die Ein- und Ausgangstür.

Ladies Paradise belebte in der darauffolgenden Zeit Evas eingefahrenes Leben mehr und mehr. Es gab keine einsamen Nachmittage mehr, in denen sie sich zu Hause mit dem harten, kalten Plastik ihres Vibrators abmühte (das Luxusmodell aus gleitfreudigem Jelly-Material war damals zu teuer gewesen, um den Kauf vor Michi zu verheimlichen …), und auch die Marotten ihres Mannes nahm sie kaum noch zur Kenntnis. Dieser ließ sie, nachdem er sich pflichtschuldig einmal nach ihrem Nachmittag bei *Ladies Paradise* erkundigt hatte, in Ruhe und ging fleißig Waldlaufen. Oder er dörrte eigenhändig kontrolliert biologisch angebautes Obst und Gemüse in einem Gerät, das er einem Kollegen im Amt abgeschnorrt hatte.

Als Erstes erstand Eva ein paar knackige Sportoutfits, da sie ja nichts dergleichen besaß. Dann widmete sie sich endlich wieder einmal ausgiebig ihrem körperlichen Erscheinungsbild und enthaarte, rasierte, cremte und zupfte, dass es eine Freude war. Schnell hatte sie nämlich bemerkt, dass die meisten Frauen bei *Ladies Paradise* sich außergewöhnlich sorgfältig pflegten.

Ihr erstes Training hatte sie nicht mit Julio absolviert, sondern mit dem blonden André, der, wie Eva feststellte, über den gleichen appetitlichen Körperbau verfügte wie sein schwarzhaariger Kollege. Oder besser gesagt, wie all seine Kollegen, denn die Chefin von *Ladies Paradise* schien ihre ausschließlich männlichen Angestellten nach sehr strengen Kriterien auszuwählen. Zwar unterschieden sich die Trainer typmäßig deutlich voneinander, aber sie alle waren auffallend attraktiv, charismatisch und gut gebaut.

Und noch etwas einte sie: Ihnen war die gleiche seltsame Intensität zu eigen wie ihrer Chefin. Manchmal, wenn Eva mit einem der Männer über ihren Trainingsplan sprach oder sich eine neue Übung erklären ließ, hatte sie geradezu das Gefühl, als nehme ihr Gegenüber eine Persönlichkeitsanalyse an ihr vor. Nicht, dass es sie gestört hätte, im Gegenteil! Welche Frau würde es schon als unangenehm empfinden, wenn ein Haufen anziehender junger Männer ihr intensive Blicke zuwarf oder sich in Gesprächen eingehend für ihre Person interessierte. Aber seltsam war es trotzdem.

Viele der Frauen, die regelmäßig zu *Ladies Paradise* kamen, hatte Eva bereits flüchtig kennengelernt. Die meisten von ihnen wirkten, als wären sie einem Jungbrunnen entstiegen, und strahlten dabei eine ungewöhnliche Zufriedenheit aus. Nur einige wenige gehörten offensichtlich zu der Sorte Mensch, der vermutlich bereits mit hängenden Mundwinkeln und mieser Laune geboren wird. Eine dieser Frauen – eine dünne, schmallippige falsche Blondine – hieß Ursula und war Eva deshalb besonders aufgefallen, weil sie ganz neu dabei war und schon an allem etwas auszusetzen fand. Wenn Ursula da war, konnte man sicher sein, sie bald über irgendetwas meckern zu hören.

Heute schien Ursulas Laune besonders mies zu sein. Eva saß gerade in der sogenannten »Beinpresse«, um ihren Hintern zu stählen, als eine wohlbekannte, leicht schrille Stimme sich erhob.

»Ich will aber nicht mit einem anderen arbeiten«, keifte sie wütend. »Ich will meinen Trainer vom letzten Mal, und das war Anthony!!!«

Eva verzog das Gesicht. Anthony war ein jungenhafter Schwarzer mit einem Körper wie poliertes Ebenholz, sehr schön anzusehen und von ungewöhnlich einfühlsamem Charakter. Er vermittelte den Eindruck, seinen Job ganz besonders ernst zu nehmen. Ihre Vorliebe für ihn so lauthals herauszuposaunen, war allerdings eine mehr als peinliche Aktion von Ursula – und zudem sehr unhöflich gegenüber den anderen Trainern. Das halbe Studio konnte mit anhören, wie André dennoch versuchte, Ursula zu beschwichtigen.

»Verzeihen Sie, aber das ist leider nicht möglich«, antwortete er überraschend freundlich. »Wir Trainer haben genau festgelegte Einsatzpläne, und Anthony ist im Moment nicht … hier.«

Da die Frau zu einer bissigen Erwiderung ansetzte, stellte Eva die Musik in ihrem Kopfhörer so laut, dass alle Außengeräusche übertönt wurden. Während sie mit den Beinen immer wieder langsam das schwere Gewicht von ihrem Körper wegdrückte, hatte sie die Augen geschlossen und genoss die sinnlichen Klänge eines Marvin-Gaye-Songs in Verbindung mit der körperlichen Anstrengung. Diese Ursula hatte Sorgen … es war geradezu albern!

Als Eva die Augen wieder öffnete, blickte sie direkt in das hübsche Gesicht von David, ihrem heutigen Trainer, der sie aufmerksam beobachtete.

Sein langes, glänzendes braunes Haar war zu einem lockeren Zopf gebunden, sodass es ihn nicht behinderte, und seine vollen Lippen umspielte ein leises Lächeln, welches sie mit dem üblichen leichten Herzklopfen erwiderte. Hier bei *Ladies Paradise* gab es eigentlich ständig Anlass für Herzklopfen und Schmetterlinge im Bauch, obwohl die Trainer bei aller individuellen Betreuung eine sehr professionelle Distanz wahrten. Ein gewisses Hormonungleichgewicht bei den Damen schien jedoch als Trainingsmotivation zum Programm dazuzugehören.

»Sie haben große Fortschritte gemacht, Eva«, lobte David sie leise, als sie die Ohrstöpsel herausgezogen hatte, »und Sie passen zu uns. Ich denke, Sie sind bereit!«

»Bereit? Wofür?«, fragte Eva und fühlte sich kein bisschen unbehaglich unter dem tiefgründigen Blick aus Davids grünen Augen.

»Wenn Sie Ihr heutiges Training beendet haben, werden Sie eine entsprechende Nachricht erhalten.« Mit diesen geheimnisvollen Worten ließ er sie allein.

Eva schüttelte verständnislos den Kopf. Ihr Blick schweifte durch den Raum über die Frauen aller Altersklassen, die sich hier in diesem edlen Ambiente bemühten, ihre Körper in Schuss zu halten, während der jeweilige Trainer sie anfeuerte, unterstützte oder lobte.

Eine seltsam vertraute Atmosphäre lag über dem Geschehen, und Frauen, welche als Neulinge hinzukamen, schienen davon gleichermaßen angezogen wie verwirrt zu sein. So wie Eva, die jedoch nach Davids kryptischer Bemerkung plötzlich überlegte, ob hinter alledem womöglich noch mehr stecken könnte als ein ausgeklügeltes Trainingskonzept.

Angenehm ausgepowert verließ sie mit wiegenden Schritten die Fitnessräume und zog ihren Badeanzug an, um noch ein paar Runden zu schwimmen, bevor sie nach Hause ging.

Seit sie hier trainierte, fühlte sie sich endlich wieder wie eine richtige Frau. Ihr ganzer Körper schien ein neues Bewusstsein bekommen zu haben, nicht nur jener begrenzte Teil zwischen ihren großen und kleinen Labien, den sie mühsam mit dem Vibrator am Leben erhalten hatte. Und das lag nicht nur an ihrer sportbedingt attraktiveren Erscheinung oder dem verbesserten Körpergefühl. Alles in den Räumlichkeiten von *Ladies Paradise* strahlte etwas so Sinnliches und Körperhaftes aus, dass Eva sich unablässig sanft stimuliert fühlte.

Geradeso wie in diesem Augenblick von dem angenehm temperierten, mit Sauerstoff versetzten Wasser, das sich auf ihrer Haut wie Seide anfühlte. Schwerelos trieb Eva auf dem

Rücken und lauschte den sphärischen Klängen aus verborgenen Lautsprechern, welche sie berieselten, sobald sie mit den Ohren untertauchte.

Später saß sie dann träge im Dampfbad und spürte, wie jeder einzelne ihrer Muskeln weich und geschmeidig wurde. Wieder beglückwünschte sie sich zu der frühen Entdeckung von *Ladies Paradise*, denn es war stadtbekannt, dass hier eine streng limitierte Mitgliederzahl nicht überschritten wurde.

Eva fühlte sich mittlerweile so himmlisch entspannt, dass die Neugier, die David mit seiner seltsamen Ankündigung ausgelöst hatte, sich in den wohligen Nebelschwaden auflöste. Was brauchte sie schließlich mehr …

Ihre neuen, strammeren Formen waren am vorangegangenen Abend sogar Michael aufgefallen. Er hatte sich tatsächlich auf seine Männlichkeit besonnen und ihr als Zeichen erhöhter Kopulationsbereitschaft an den Busen gegriffen. Das entsprach zwar nicht gerade Evas Traum von einer gelungenen erotischen Verführung, aber da sie es mittlerweile wirklich wieder einmal dringend nötig hatte, wollte sie sich mit solchen Lappalien nicht belasten …

Michael schnaufte und rieb sein nacktes, knochiges Becken an ihrer Hüfte, während er ihr in Windeseile den BH aufhakte und heftig ihre Brüste knetete. Die Hitze schoss geradewegs hinab in Evas Schoß, und sie war erfreulicherweise sofort angenehm erregt. Dann gab es jedoch ein kleines Gerangel, weil Michael ihr arglistig sein steifes Ding in den Mund schieben wollte, als sie diesen öffnete, um endlich die Zahnbürste herauszunehmen und ins Waschbecken auszuspucken. Eva konnte ihm daraufhin zwar ohne neuerliches Zubeißen klar machen, dass sie sich auf ein Blaskonzert nicht einlassen würde, aber ihre Lust hatte dennoch einen spürbaren Dämpfer erhalten. Michael war seinerseits nicht so empfindlich und befummelte sie unverdrossen, nachdem er ihr Höschen in irgendeine Ecke geschleudert hatte. Was ihm dabei an Fingerfertigkeit fehlte, machte er mit Grunz- und Stöhngeräuschen wieder wett, die Eva zu Beginn ihrer Ehe wahrhaftig angetörnt hatten, sich aus seinem Mund mittlerweile aber nur noch albern für sie anhörten. Michael drückte sie gegen das Waschbecken und rammte ihr ungeduldig den Schwanz in die Möse, ohne zu bemerken, dass sie noch gar nicht feucht genug war. Sie verkniff sich jeden Schmerzenslaut, machte die Augen ganz fest zu und versuchte, an etwas Aufregendes zu denken.

Wie von selbst schlichen sich Julio, André und ihre zahlreichen Kollegen in Evas Phantasien, sodass sie plötzlich mit erstaunlich viel Enthusiasmus auf diese lasche Nummer reagiert hatte. Michael gebärdete sich im Anschluss prompt wie ein stolzer Gockel, und Eva fühlte sich scheiße ...

Durch die feuchten Schwaden im Dampfbad erkannte sie undeutlich zwei andere Frauen, die sich schon die ganze Zeit gedämpft unterhielten. Jetzt wurde Eva aufmerksam.

»Ich bin so erfüllt wie noch nie in meinem Leben«, sagte die eine gerade, worauf die andere einen tiefen, zufriedenen Seufzer ausstieß und antwortete:

»Ja, ich weiß was du meinst. Wer hätte gedacht, dass wir noch mal so viel Sex haben würden ... Und dazu so abwechslungsreichen!«

»O mein Gott, ich kann es kaum erwarten, lass uns sofort gehen!« Damit erhoben sich die beiden und verließen eilig das Dampfbad.

Eva war baff. Sie starrte entgeistert auf die Tür, die sich

hinter den beiden schloss. Diese Frauen waren bestimmt 20 Jahre älter als sie und freuten sich über ein erfülltes Sexualleben. Was hatten die denn für ein Geheimnis?? Sie taten es ja wohl kaum miteinander …

Giftgrüner Neid schlängelte sich in ihren Bauchnabel und machte sich in ihrem Schoß breit. Das Gefühl wohliger Entspannung war futsch. Eva wurde bewusst, dass *ihr* Sexualleben künftig bestenfalls so aussehen würde wie gestern Abend, weil sie schlicht und ergreifend mit Michael verheiratet war. Und der Pfennigfuchser hatte sie damals einen knallharten Ehevertrag unterschreiben lassen. Jetzt, wo sie schon so lange aus ihrem Beruf ausgestiegen war, mochte sie an Scheidung also gar nicht denken.

Hilfe! Sollte das etwa alles gewesen sein?! Sie würde vertrocknen, außen wie innen!

Eva fragte sich plötzlich, ob ihre Besuche bei *Ladies Paradise* unter diesen Umständen nicht eher kontraproduktiv waren. Schließlich weckten sie Gelüste in ihr, die niemand stillte …

Als im Untergeschoss die Lifttüren aufglitten, prallte Eva mit Ursula zusammen, die mit sauertöpfischer Miene in den Aufzug steigen wollte.

»Tschüs«, verabschiedete sich Eva kurz und versuchte an Ursula vorbei im Umkleideraum zu verschwinden, als diese sie aus heiterem Himmel angiftete.

»Wehe, wenn du mir morgen Anthony wegschnappst!«

Eva blieb der Mund offen stehen, und sie konnte nur noch verwundert den Kopf schütteln, bevor die Aufzugtüren sich schlossen. Dann schoss ihr ein schauerlicher Gedanke durch den Kopf: Womöglich war diese Frau früher einmal so gewesen wie sie selbst – bevor sie in einer Ehe mit *ihrem* ureigenen Michael verhärmte …

Ursula stand im Aufzug und meckerte still vor sich hin. Diese Eva war eine so unerträglich eingebildete Kuh! Die glaubte wohl, sie könne jeden haben. Dabei trug sie sogar einen Ehering! Pah, *ihr* Anthony stand bestimmt nicht auf die!

Dabei wäre dieser süße Schokoriegel nicht mal Ursulas erste Wahl gewesen – wenn sie eine Wahl gehabt hätte –, denn eigentlich bevorzugte sie bei Männern eher den leptosomen Typ, wie ihr lang verflossener Ex-Verlobter einer gewesen war: drahtig und asketisch … Ha, von wegen *asketisch!* Das Schwein hatte sie schließlich mit einer Obenohne-Tänzerin beschissen, mit der er dann nach Gran Canaria durchgebrannt war. Anthony schien einfach der erste Mann seit langer Zeit, der sich für sie interessierte! Derart intensiv, wie er sich beim Training um sie gekümmert hatte, *wusste* sie genau, dass er auf sie stand! So was spürte Frau schließlich …

Energisch drückte Ursula den Knopf für das gewünschte Stockwerk, und auf dem Display leuchteten die Worte ERDGESCHOSS/FITNESS/AUSGANG auf. Wieder einmal blieb ihr Blick an der scheinbar sinnlosen Vertiefung hängen, die als Abschluss der Tastenreihe direkt unter dem Knopf für die Umkleideräume lag und im Grunde wie eine Negativform der Mitgliedsbrosche aussah. Was es damit wohl auf sich hatte?

Ursula fügte probehalber den apfelförmigen Anstecker hinein – er passte perfekt. Das war's aber auch, nichts passierte. Überflüssig! Schulterzuckend verließ sie den Lift und stürmte mit verkniffenem Gesicht auf die Ausgangstür zu.

Eva griff überrascht nach dem Briefumschlag aus edlem Papier, der im Spind auf ihren Sachen lag. In seiner linken oberen Ecke prangte das Firmenlogo von *Ladies Paradise*, der goldene Apfel mit Schlange. Sie war sicher, dass der Brief noch nicht da gewesen war, als sie vorhin ihren Badeanzug geholt hatte. In geschwungenen Buchstaben stand ihr Name darauf, zusammen mit dem Hinweis »Privat und persönlich«.

Eva öffnete den Umschlag und zog ein einzelnes schweres Blatt heraus. Es war goldgerändert und ebenfalls mit dem *Ladys-Paradise*-Logo verziert. Neugierig überflog sie den kurzen Text:

Verehrte Eva,
Sie spüren den Hunger …
Sie sind bereit, vom Apfel der Liebe zu kosten …
Ihr Leben wird nie mehr dasselbe sein,
denn Sie sind auserwählt,
den wahren Garten Eden zu entdecken!
Fügen Sie zusammen, was zusammen passt,
und der Weg zu himmlischen Freuden tut sich auf.
Doch bewahren Sie dies köstliche Geheimnis um jeden Preis,
sonst droht die Vertreibung aus dem Paradies!

Verblüfft ließ Eva den Brief sinken. Ging es noch schwülstiger? Und was sollte das überhaupt? Wieder studierte sie die rätselhaften Zeilen. Das klang durchaus interessant und sehr intim. Genau genommen klang es nach … Sex!

Aber das konnte ja wohl kaum möglich sein. Oder etwa doch?

Der ungewöhnlich enthusiastische Zeitungsbericht fiel

Eva ein – und die horrenden Beitragsgebühren ... Dann die Tatsache, dass viele der Frauen bei *Ladies Paradise* so ungewöhnlich strahlend und vital wirkten, sowie diese unterschwellige Vertrautheit mit den Personal-Trainern. Nein, sie konnte sich nicht irren – dies war die unmissverständliche Einladung in irgendeine Art erotisches Shangri-La.

»Ich denke, Sie sind bereit«, hatte David vorhin gesagt. »Sie spüren den Hunger«, stand in dem Brief. O Gott, dachte Eva, habe ich etwa das Wort ›notgeil‹ auf der Stirn stehen?

Verunsichert blickte sie sich im Umkleideraum um. Es war nicht viel los, nur eine Frau, die Eva erst ein paar mal gesehen hatte, zog sich gerade ihre Trainingsklamotten an. Die konnte ihr bestimmt nicht weiterhelfen. Außerdem, Evas Blick wanderte wieder zu den Zeilen in ihrer Hand, war ziemlich klar ersichtlich, dass sie die Klappe halten sollte.

Sie musste also auf eigene Faust herausfinden, was es mit dem »wahren Garten Eden« auf sich hatte.

Geistesabwesend schlüpfte sie in ihre Unterwäsche, streifte das leichte Sommerkleid über und befestigte die kleine, apfelförmige Brosche am Ausschnitt.

»Fügen Sie zusammen, was zusammen passt« ... das war nicht gerade eine präzise Wegbeschreibung.

Vielleicht wäre der mysteriöse Brief sogar einfach im Müll gelandet, hätte sich Eva nicht kurz vorher an Michael und sein unseliges Gerammel vom Vorabend erinnert. Sie beschloss, ganz einfach die Chefin von *Ladies Paradise* um eine nähere Erklärung zu bitten, was es mit dem Brief auf sich hatte. Von dieser Idee ganz begeistert, durchquerte sie, noch barfuß, den Umkleideraum.

Der Lift spuckte ein kleine Gruppe verschwitzter Frauen aus, die offenbar gerade aus dem Power-Beckenboden-Kurs kamen, und Eva fragte sich spontan, ob das wohl auch »Auserwählte« waren. Dann drückte sie den Fahrstuhlknopf für das Penthouse.

Sie hatte Pech. Das Büro der Inhaberin lag verlassen da.

Ratlos stand sie wieder vor dem Aufzug, als von hinten plötzlich David an sie herantrat. Statt der üblichen Sportkleidung trug er einen schmalen, dezent bestickten Kaftan, der weich an seinem appetitlichen Körper herabfiel.

»Eva«, sagte er, »kann ich Ihnen helfen?«

Unter der tiefen, samtigen Stimme zuckte sie zusammen, machte eine unbestimmte Geste und registrierte verlegen, dass ihre Brustwarzen sich aufrichteten. Obwohl ihr das eigentlich niemand verübeln konnte – langsam, aber sicher war ihr Lustzentrum wirklich etwas überfordert, was Sinnenreize und unterschwellige Erotik anging.

Davids Blick fiel auf den zusammengefalteten, goldgeränderten Brief, den sie noch immer in der Hand hielt. Er lächelte hintergründig.

»Ja, ich denke, ich kann Ihnen helfen ...«

Eva zögerte nur einen Herzschlag, dann ließ sie zu, dass er sie in den Lift führte. Als die Türen sich schlossen, glitten seine Finger sacht an ihrem Ausschnitt entlang, bis sie die Mitgliedsbrosche berührten. Mit großen Augen sah Eva ihn an.

»Darf ich?«, fragte David und löste die Nadel. Dann fügte er den Anstecker kurz in eine passende kleine Vertiefung ein, die direkt unter der Reihe der Fahrstuhlknöpfe lag, und die Worte WILLKOMMEN IM PARADIES erschienen auf dem Leuchtdisplay. Der Lift setzte sich geräuschlos in Bewegung. Abwärts, wie es sich anfühlte.

»Was ...?«, fragte Eva verwirrt und stand wie erstarrt, als

David die Brosche wieder an ihrem Kleid befestigte. Ihr dämmerte, dass sie sich nun offenbar auf direktem Weg zu den »himmlischen Freuden« befand.

»Dies ist Ihr persönlicher Schlüssel zum Paradies«, erklärte David eindringlich, »aber Sie dürfen ihn nur dann benutzen, wenn Sie sich allein im Aufzug befinden!«

Die Fahrstuhltüren öffneten sich.

»Wirst ja langsam eine richtige Sportskanone!«, konstatierte Michael erfreut und schaufelte sich noch eine Portion Vollkornreis auf die Gabel. Eva, tief in Gedanken, starrte ihn an.

»Was?«

»Na, du rennst ständig in dieses Fitnessstudio und kommst auch immer später nach Hause. Ganz zu schweigen von den ersten sichtbaren Veränderungen ...« Er grinste anzüglich, und sie hätte schwören können, dass er sich geistig in seiner neu erwachten Männlichkeit sonnte.

»Ja, ja«, erwiderte sie zerstreut. Ihr ehelicher Kommunikationseifer war durch die jüngsten Erlebnisse bei *Ladies Paradise* ziemlich beeinträchtigt. Am liebsten hätte sie sich ins Bett verkrochen und die Decke über den Kopf gezogen.

Stattdessen musterte sie ihren Ehemann, der rülpste, den Teller von sich schob und sich ausgiebig im Schritt kratzte. Fühlte sie sich schuldig? Nein!

Gott sei dank erwartete Michi nicht, dass sie seine Abendgestaltung übernahm, sondern parkte mit einem Fachbuch über die Möglichkeiten sanfter Darmreinigung in seinem Sessel ein.

Eva verschwand aufatmend im Badezimmer, verschloss wohlweislich die Tür und ließ sich ein heißes Bad einlaufen. Tatsächlich verspürte sie nicht die Spur eines schlechten

Gewissens. Allerdings hatte sie nach dem, was heute passiert war, keine Ahnung, wie sie jemals wieder Sex mit Michael ertragen sollte.

Sie erinnerte sich …

Als die Türen zu Seite glitten, nahm David sie bei der Hand und geleitete sie aus dem Lift. Sie befanden sich nun in einem großen, fensterlosen Raum, der diffus vom geheimnisvoll flackernden Licht brennender Fackeln erhellt wurde. Er war orientalisch eingerichtet und mit glitzernd bestickten, transparenten Tüchern in herrlichen Farben dekoriert. Es duftete nach Rosen und Orangenblüten. Den Boden bedeckten weiche, naturfarbene Teppiche. Auf den üppigen, einladenden Sitzkissen, die überall verstreut lagen, erkannte Eva einige der Frauen aus *Ladies Paradise.* Sie räkelten sich in den Polstern, während gut aussehende, halb nackte Männer sie streichelten, massierten, mit Obst fütterten oder ihnen etwas ins Ohr flüsterten. Am entgegengesetzten Ende des Raumes bemerkte sie André, der gerade einen nackten weiblichen Rücken mit warmem Öl begoss, während sie einige der anderen Typen hingegen noch nie gesehen hatte. Selbst in der schummerigen Beleuchtung fiel jedoch auf, dass sie den Trainern an Attraktivität in nichts nachstanden. Sinnlichkeit lag in der schwülen Luft, und keiner der Anwesenden kümmerte sich um das, was um ihn herum geschah.

David führte Eva zu einem kunstvoll gestalteten Springbrunnen, der im Zentrum des Raumes stand. Er zauberte zwei Sektkelche hervor, hielt sie unter die sprudelnde Fontäne und reichte ihr einen davon. Dann ließ er sein Glas gegen ihres klingen und sagte einfach nur: »Willkommen!«

Das Glas war mit Champagner gefüllt.

Eva schüttelte den Kopf und wollte sich am liebsten in den Arm kneifen, denn sie konnte nicht glauben, wo sie da hineingeraten war. Bestimmt entpuppte sich die ganze Sache im nächsten Moment als »Versteckte Kamera« oder so … Sie sah sich um, und ihr suchender Blick stolperte direkt über Julio, der einer schwerbrüstigen Frau mit aufgeknöpfter Bluse gerade hingebungsvoll die prallen dunklen Nippel lutschte.

»Du musst keine Angst haben«, hörte sie Davids weiche Stimme dicht an ihrem Ohr. »Dieser Ort wurde erschaffen, um dir und deinen Schwestern geheime himmlische Freuden zu schenken!«

»Himmlische Freuden?«, wiederholte Eva fragend.

»O ja!« Wieder ergriff David ihre Hand. »Komm, ich zeige es dir …«

Sie nippte ein letztes Mal sparsam an ihrem Glas, bevor sie es abstellte. Langsam wurde ihr klar, dass sie in keiner Weise halluzinierte. Dieses »Paradies« war sehr real, und da konnte sie wohl kaum mit einem champagnerbedingten Blähbauch antreten. Pupsen im leidenschaftlichen Nirwana – das ging ja nun gar nicht!

David zog sie zu einem mit schweren Samtvorhängen geschmückten Durchlass, der in einen langen, höhlenartigen Gang führte.

Zahlreiche Türen öffneten sich zu beiden Seiten, lodernde Fackeln verbreiteten auch hier geheimnisvoll tanzendes Licht, und hypnotisierende elektronische Musik vermischte sich mit dem sehsüchtigen Stöhnen und den lustvollen Schreien unzähliger unsichtbarer Kehlen zu einem aufregenden Klangteppich.

Evas Puls beschleunigte sich, und ihr Unterleib fing an zu

pochen, als sie sich der ersten Tür näherten, die den Blick auf nichts als ein überdimensionales, meisterhaft geschnitztes Himmelbett freigab.

Eine der Frauen, die Eva ungewollt im Dampfbad belauscht hatte, war mit seidenen Tüchern an die hölzernen Verstrebungen gefesselt und lag dort wie gekreuzigt, den nackten Körper obszön dargeboten. Ihr Kopf hing halb über das Fußende hinunter. Die Augen verbunden, ließ sie sich von einem wunderschönen Jungen lecken, dessen Gesicht regelmäßig aus ihrem Schoß auftauchte, um ihr betörende Schweinereien zuzuraunen. Sein Mund glänzte nass.

Die Frau schrie vor Wohllust, riss immer wieder an den Fesseln und stieß ihrem jungen Gourmand heftig die Hüften entgegen. Mit dem Schraubstock ihrer Schenkel trieb sie ihn in gierigem Rhythmus an.

Eva war hin und her gerissen zwischen angeborener Scheu und der Faszination des Beobachtens, doch David versicherte ihr, dass die Tür geschlossen wäre, würde die Besucherin nicht wollen, dass man ihr zusah.

Im nächsten Raum wanderte Evas Blick ungläubig über die verschiedensten Arten von Möbeln, die alle einzig dem Zweck zu dienen schienen, lustvolle Stellungen beim Liebesakt zu ermöglichen. Vier verschiedene Paare waren gleichzeitig darin beschäftigt, und die Luft roch intensiv nach Sex.

Besonders angetan war Eva von einer Liebesschaukel, die frei von der hohen Decke hing. Eine sehr junge Frau saß darin, die Beine von einer Art Geschirr gespreizt, ihre saftige, komplett rasierte Möse im perfekten Winkel wie auf dem Präsentierteller. Der Mann vor ihr schwang sie in gleichmäßigem Tempo hin und her, wobei er jedes Mal, wenn sie auf ihn zuschaukelte, seinen feucht schimmernden Kolben tief in sie hineintrieb …

Eva schreckte hoch, als sie hörte, wie Michael in der Küche rumorte, um sich sein allabendliches Glas Weizengrassaft einzuschenken.

Zum ersten Mal wurde ihr wirklich bewusst, wie sehr sie sich vorsehen musste, denn wenn ihr Mann je herausfand, was sie getan hatte, würde er sich mit Sicherheit *sofort* von ihr trennen. Und als geschiedene Frau mit knappen monatlichen Unterhaltszahlungen könnte sie sich das *Ladies Paradise* nicht mehr leisten! Andererseits … in seiner Position durfte er sich keinerlei Skandal erlauben, und außerdem – wie sollte er es je erfahren?!

Eva ließ sich mit wohligem Schnurren tiefer in die Badewanne gleiten, und ihre Gedanken drifteten wieder zurück in das erotische Spielzimmer.

Sie hatte sich von dem Anblick kaum losreißen können und erinnerte sich jetzt noch lebhaft daran, dass sie am liebsten die Frau aus der Schaukel geschubst und es sich darin selbst von David hätte besorgen lassen wollen … Doch der schien anderes mit ihr im Sinn zu haben.

»Gefällt es dir?«, fragte er sie.

Mit trockenem Mund, die Augen nicht von dem hemmungslosen Treiben abwenden könnend, hatte sie nur wortlos genickt.

»Dann zieh deinen Slip aus und gib ihn mir!«, befahl er.

Die *tugendhafte* Eva fiel daraufhin beinahe in Ohnmacht, doch die *verdorbene* gehorchte zitternd – es gab ohnehin kein Zurück mehr. Davids Finger befühlten die verräterische Nässe des seidigen Stoffs.

»Das gefällt *mir*«, murmelte er mit Begierde im Blick und zog sie weiter, vorbei an einem dampfgeschwängerten Raum, in dem zwei Frauen sich in einer großen marmornen Badewanne voll milchiger Flüssigkeit aalten und sinnliche Küsse tauschten. Um sie herum schwammen Rosenblätter, es duftete nach Weihrauch …

Jetzt, da Eva im heimischen Badezimmer selbst im warmen Wasser lag, wünschte sie sich sehnsüchtig das spärlich bekleidete männliche Zwillingspaar herbei, das die beiden Frauen so gründlich und aufreizend mit großen, weichen Naturschwämmen bearbeitet hatte.

Sie erschrak, als plötzlich Michael gegen die Tür wummerte.

»He, wachsen dir nicht langsam Schwimmhäute?«, fragte er launig, ohne eine Antwort abzuwarten, und dann hörte sie, wie er nebenan in die Toilettenschüssel strullerte – unverkennbar natürlich aus dem Stand.

Selbst so einen Wunsch würden sie mir im »Paradies« bestimmt nicht abschlagen, dachte Eva und grinste entzückt. Pinkelspiele waren eigentlich nichts, das sie jemals ausprobieren wollte, aber allein das Bewusstsein, es tun zu *können*, gefiel ihr. Die Klospülung rauschte, und Michi trollte sich zurück ins Wohnzimmer, während Eva aufs Neue in ihren Erinnerungen schwelgte.

Vorbei an einer geschlossenen Tür gelangten sie und David zu einem Raum, in dem die andere Frau aus dem Dampfbad den nackten Anthony an einer Hundeleine führte. Er kroch auf allen vieren auf dem Boden. Sie trug extrem hochhackige Schuhe, hautenge schwarze Latexstrümpfe, die ihr bis über die Oberschenkel reichten, und ihre üppigen

Kurven waren in ein Mieder geschnürt, das ihr die Form einer Eieruhr verlieh. In der behandschuhten Rechten hielt sie eine Reitgerte, die sie immer wieder mit wohldosierter Strenge auf Anthonys hochgereckten, nackten kleinen Hintern klatschen ließ. Nur schwach waren auf seiner dunklen, samtigen Haut die Striemen zu erkennen, doch bei jedem Schlag hörten sie ihn lustvoll stöhnen. Als Anthony sich halb aufrichtete, um die Latexstrümpfe seiner Herrin zu lecken, präsentierte er dabei nicht nur eine prächtige schwarze, von dicken Adern durchzogene Erektion, sondern Eva konnte ebenso erkennen, dass seine Brustwarzen mit dicken silbernen Ringen gepierct waren und dadurch so prall hervorstanden wie bei einer Frau.

Im nächsten Raum wurden sie schließlich Zeugen einer Art Gang-Bang, mit dem die weibliche Hauptdarstellerin jedoch spielend allein klarzukommen schien, obwohl sie zwischen einer ganzen Horde schwarz maskierter Männer kniete. Während die Frau völlig weggetreten zwei Kerle auf einmal mit dem Mund bearbeitete, ließ sie sich von drei anderen abwechselnd ficken. Nur ganz am Rande registrierte Eva, dass die Männer Kondome trugen. Die Geräuschkulisse war unbeschreiblich und die Luft dermaßen testosterongeschwängert, dass sie unwillkürlich nach David tastete.

Er schob sich an sie heran, und ganz deutlich spürte sie, wie er seinen harten Schwanz gegen ihre Pospalte presste.

»Hast du etwas Bestimmtes gesehen, bei dem du mitspielen möchtest?«, fragte er heiser, aber Eva schüttelte den Kopf. Es war der totale Overkill, sie hatte bereits Schmerzen vor Erregung und konnte an nichts anderes mehr denken, als endlich ihrem eigenen Trieb nachzugeben, egal wie, egal wo. Das leise Stimmchen des tugendhaften Mädchens in ihr protestierte nicht mehr. Eva war so unglaublich scharf, dass sie sich nicht zieren konnte, selbst wenn sie es gewollt hätte. Sie drehte sich zu David um, hob ihren Rock und bot sich ihm an.

Das Badewasser war kalt geworden, sodass Eva widerwillig in die Realität zurückkehrte. Sie stieg aus der Wanne, und während sie sich abtrocknete, dämmerte ihr plötzlich, dass sie nun jeden Tag dorthin gehen konnte, wenn sie es wollte. Sie konnte es sich besorgen lassen, bis ihr das Hirn wegflog, konnte sich alle nur vorstellbaren sexuellen Träume erfüllen – und noch einige unvorstellbare dazu!

Jetzt war natürlich auch endlich klar, wo das geradezu analytische Interesse der *Ladies-Paradise*-Belegschaft an den Kundinnen herrührte. Die geheimnisvolle Inhaberin hielt offenbar nicht jede Frau für geeignet, den »wahren Garten Eden« zu erkunden, und hatte ihr Personal psychologisch geschult, um sich der absoluten Geheimhaltung zu versichern.

Prompt dachte Eva an Ursula, die bestimmt niemals auserwählt werden würde, sich in den geheimen Räumen zu vergnügen. Gut so, denn falls diese frustrierte Ziege nicht ohnehin jeder Fleischeslust abgeschworen hatte, würde sie zweifellos sofort Anthony zu ihrem Privathengst erklären und allen anderen die Augen auskratzen, die sich ihm näherten …

Evas Gedanken schweiften zu Anthonys makellosem Körper zurück und zu seinen provokativen Brustwarzen, an denen sie unbedingt bald nuckeln wollte. O ja, es gab vieles, das sie bald einmal tun wollte, und sie konnte es kaum erwarten, damit anzufangen!

Wonach ihr jedoch absolut *nicht* der Sinn stand, war ihr Mann. In den folgenden Wochen brachte Eva die Zeit zwischen ihren immer häufiger werdenden Besuchen bei *Ladies Paradise* meist in einer Art schlafwandlerischer Abwesenheit hinter sich. Wach wurde sie zwangsläufig nur in den Momenten, in denen Michael Sex wollte. Und das war plötzlich wieder viel häufiger der Fall als noch vor kurzem. Einige Male – als in seinen Feinrippunterhosen besondere Unruhe zu herrschen schien – hatte er sogar überraschend vor dem *Ladies Paradise* auf sie gewartet, um sie möglichst schnell nach Hause und auf den ehelichen Lattenrost zu befördern!

Eva strapazierte die ältesten Ausreden der Welt, um ihn sich vom Leib zu halten, aber hin und wieder gab es dennoch kein Entkommen. Dann hatte sie Angst, er könnte misstrauisch werden, und wenn Michael ihr in solchen Momenten wehleidig seine pralle Runkelrübe präsentierte, etwas von Samenstau faselte und sein Recht als Ehemann einklagte, dann musste sie ihn eben doch ranlassen.

Wie hatte sie nur jemals denken können, seine Qualitäten als Liebhaber seien passabel? Er war eine Null! Lamentierte und jammerte, weil sie nicht bereit war, seinen Dödel in den Mund zu nehmen, bevor er dann kurzen Prozess machte und sie ohne Einfühlungsvermögen und Raffinesse bestieg. An guten Tagen schliefen ihr dabei einfach die Füße ein, an schlechten ekelte es sie vor ihm.

Mittlerweile hatte sie wahrlich eine Menge Vergleichsmöglichkeiten, und sie wollte immer noch mehr, denn erst jetzt erkannte sie, zu welchen Reaktionen ihr Körper fähig war, wie viel Wollust in ihr steckte! Die aufregenden Liebhaber, mit denen sie es inzwischen beinahe täglich trieb, erfüllten ihr tatsächlich jeden erotischen Wunsch, und das sogar auf sehr selbstlose Weise. Keiner von ihnen hätte es je gewagt, ihr ungefragt sein Ding in den Mund zu stecken, geschweige denn, sie zum Schlucken zu zwingen! Womöglich, überlegte sie, würde sie genau deshalb eines Tages vielleicht doch noch auf den Geschmack kommen …

Eva stand unter der Dusche, um sich den Schweiß des vorangegangenen, ziemlich eilig absolvierten Trainings von der Haut zu waschen, und rieb ihren Körper üppig mit verführerisch duftendem Duschöl ein. Dabei genoss sie das Prickeln des harten Massagestrahls, das es allerdings nicht mal ansatzweise mit der wachsenden Lüsternheit aufnehmen konnte, die sich erwartungsfroh in ihr ausbreitete.

Heute war der große Tag! Heute wollte sie sich einen lang gehegten Wunsch erfüllen: Sie wollte mit zwei Männern gleichzeitig schlafen. Und mit ›gleichzeitig‹ meinte sie auch *gleichzeitig*.

Nachlässig in ein großes Handtuch gewickelt, kam Eva zurück in den Umkleideraum und bemerkte bald, dass sie unverhohlen von Ursula angestarrt wurde, die sich vor ihrem Spind gerade die Straßenschuhe zuschnürte.

In den vergangenen Wochen hatte diese schreckliche Frau ein immer verkniffeneres Gesicht zur Schau getragen. Es war ihr natürlich nicht gelungen, Anthony exklusiv als Trainer für sich zu gewinnen, und das schien ihren allgegenwärtigen Frust noch deutlich zu steigern. Sie terrorisierte mittlerweile das gesamte Personal von *Ladies Paradise*, ohne dass man etwas gegen sie hätte unternehmen können.

Eva fühlte sich weiter beobachtet, als sie sich anzog, spürte den missgünstigen Blick im Rücken, während sie sich die

Haare föhnte, und bemühte sich trotzdem, die andere einfach zu ignorieren. Sie hatte keine Lust, ihr Hochgefühl zu riskieren, außerdem war sie viel zu aufgeregt, um Konversation zu machen. Mit flatterigen Händen trug sie ein wenig Lippenstift auf.

Ursula konnte sich nicht aufraffen zu gehen. Es war deutlich spürbar, dass diese Eva heute besonders unter Strom stand, und sie hätte zu gerne gewusst, warum.

In den letzten Wochen war ihre Aversion gegenüber Eva noch gewachsen, denn die schien von Tag zu Tag attraktiver zu werden. Irgendwas war bei der im Busch, und das hatte sicherlich nichts mit ihrem Ehemann zu tun!

Dieser war Ursula mehrfach positiv aufgefallen, als er vor dem Studio auf seine Frau gewartet hatte. Eva, dieses schreckliche Weib allerdings, begegnete seinen stürmischen Begrüßungen jedes Mal mit eisiger Kälte.

Wie dem auch sei, mittlerweile kam Ursula fast die Galle hoch, wenn sie Eva begegnete.

Es wurde Zeit. Anthony gab dem schönen, groß gewachsenen Eurasier mit der verrückten Punkfrisur ein unauffälliges Zeichen. Bei aller beruflichen Professionalität war es Anthony ein wahres Vergnügen, Evas besonderen Wunsch zu erfüllen und ihr gemeinsam mit seinem exotischen Kollegen diesen speziellen Fick zu verpassen. Auch für ihn würde das eine völlig neue Erfahrung sein.

Die beiden Männer machten sich bereit.

Eva stand im Aufzug, nestelte mit klammen Fingern den Anstecker in die apfelförmige Vertiefung, und die Kabine setzte sich in Bewegung. Fahrig schob sie die Brosche zurück an ihr Revers, schloss kurz die Augen und atmete tief durch – sie hatte wahrhaftig Lampenfieber.

Die Türen des Lifts öffneten sich, und zielstrebig durchquerte sie das orientalische Zimmer. Sie lief – ohne auch nur einen Blick für das gewohnt facettenreiche, lustvolle Treiben um sich herum übrig zu haben – eilig den geheimen Höhlengang entlang, bis sie vor der vereinbarten Tür stand. Ihr Herz schlug einen wilden Trommelwirbel, als sie den Türknauf drehte.

Das Zimmer war ganz im Stil eines französischen Boudoirs gehalten und wurde vom schmeichelnden Licht unzähliger Kerzen beleuchtet. Auf einer ausladenden, mit kardinalrotem Damast bezogenen Liegewiese kniete Anthony mit einem atemberaubenden exotischen Fremden, dessen kräftiges schwarzes Haar zu einem buschigen Irokesenschnitt frisiert war. Die beiden Männer liebkosten gegenseitig ihre nackten Körper und waren sichtbar erregt.

Der Fremde senkte den Kopf, um an einer von Anthonys gepiercten Brustwarzen zu lecken, worauf dieser aufstöhnend den Kopf zurückwarf. Sein Blick fiel auf Eva, und er lächelte einladend.

Ursula brach kurz nach Eva auf und wartete schimpfend auf den Fahrstuhl, der, wie es schien, wieder einmal ewig brauchte, obwohl er laut Anzeigetafel bereits da sein sollte. Übellaunig stieg sie schließlich ein und trat dabei auf etwas Hartes. Neugierig blickte sie nach unten, um ihre Schuhsohle zu inspizieren. Jemand hatte seine Mitgliedsbrosche verloren. Ursula bückte sich und hob das kleine Schmuckstück auf. Als sie auf die Taste für das Erdgeschoss drücken wollte, stach ihr erneut die seltsame Vertiefung an der Schalttafel ins Auge. Einer Eingebung folgend, versuchte sie, das gefundene Äpfelchen dort einzupassen, und überraschend setzte sich der Lift in Bewegung. Verblüfft starrte sie auf das Display, wo die Worte WILLKOMMEN IM PARADIES aufleuchteten, während die Kabine merklich abwärts glitt. Und das, obwohl es unter den Umkleideräumen offiziell gar kein Stockwerk mehr gab. Sie musste sich doch sehr wundern! Entweder war ihr eigener Mikrochip kaputt, oder sie wurde bewusst benachteiligt! Gespannt wartete sie darauf, dass die Türen sich öffneten.

Zögernd trat Eva ein. Das Schauspiel, das die zwei Männer ihr boten, weckte zweifellos ihre Gier, doch gleichzeitig fühlte sie sich vom Anblick der beiden ausgewachsenen Erektionen ziemlich eingeschüchtert. Wie um Zeit zu gewinnen, schloss sie langsam die Tür hinter sich.

»Komm«, ertönte in diesem Moment Anthonys auffordernde Stimme, und sie näherte sich zögernd der Liegewiese.

»Hallo, Schönheit«, begrüßte sie der Fremde und schenkte ihr einen hinreißenden Schlafzimmerblick.

»Hallo … hallo Fremder«, antwortete Eva schwach und wünschte sich zugleich, der Erdboden möge sich auftun und sie verschlucken. Ein dämlicherer Spruch war ihr wohl nicht eingefallen!

Ihre Spielgefährten schienen sich allerdings nicht daran zu stören. Sie stand vor ihnen, und die beiden begannen langsam, ihr die Kleider abzustreifen, wobei sie ihre Haut immer wieder mit flüchtigen Küssen reizten.

Als Eva nackt auf die Polster kroch, war sie bereits so scharf, dass die Lustsäfte ihr über die Schenkel liefen. Ihre geschwollenen Schamlippen pochten, und sie hatte jede Hemmung hinter sich gelassen.

Heftig saugte sie an einem von Anthonys Nippelringen, schmeckte das glatte Metall über der harten, aufgerichteten Knospe, um dann ihre Zunge im Mund des Fremden zu versenken, dessen sinnliche Lippen nach den ihren getastet hatten. Anthony tauchte in den Kuss mit ein, und bald waren die drei Körper gierig ineinander verschlungen. Jemand sog scharf die Luft ein. Sie blickte nach unten und sah, dass der Eurasier tief vor Anthony kniete. Seine feuchte Zunge schnellte über Anthonys geschwollene Eichel, die sich hellrosa von der dunklen Ebenholzschattierung seiner prachtvollen Rute abhob.

Eva starrte fasziniert auf die zutiefst intime, homoerotische Szene, überzeugt davon, nie etwas Aufregenderes gesehen zu haben, als der Fremde plötzlich den Kopf wandte und blitzschnell über ihre Scham leckte. Dann reizte er das nasse, weiche Fleisch, bis ihr die Beine zitterten, und kehrte wieder zum hoch aufgerichteten, pulsierenden Schwanz seines Komplizen zurück. In köstlichem Wechsel spielte er auf diese Weise mit ihnen beiden.

Ursula trat aus dem Fahrstuhl. *Was war denn das?*

Irritiert registrierte sie die schwül-erotische Atmosphäre. Niemand beachtete sie, als sie langsam durch den Raum schritt und sich neugierig umsah. Verwirrt beobachtete sie, wie ein Mann einer Frau irgendetwas aus dem Bauchnabel schleckte. Die Frau hatte sie schon mal beim Training gesehen. Doch warum lag sie nun hier, mit schamlos hochgezogenem Pullover? Und dort hinten, mit dem rothaarigen Mädchen, das war doch André, einer der Trainer. Wenn

Ursula sich nicht sehr täuschte, dann hatte das Mädchen die Hand in Andrés Hose!

Entrüstet marschierte sie weiter und gelangte in den geheimen Gang, wo die unzweideutige Geräuschkulisse sie sofort innehalten ließ. Sex war etwas, das Ursula seit dem unschönen Abgang ihres Verlobten nur noch theoretisch kannte, und deshalb war sie besonders unvorbereitet auf das, was sie zu sehen bekam, als sie zögernd auf eine der vielen Türen zuging, die sich rechts und links von ihr öffneten.

Hatte ihr verschüttetes Lustzentrum halb und halb erwartet, sich vor einer Leinwand wiederzufinden, auf der ein Schmuddelfilm lief, so erstarrte sie schockiert mitten in der Bewegung, als sie eines leibhaftigen, wild kopulierenden Pärchens ansichtig wurde.

Mit weit aufgerissenen Augen starrte sie auf die schwitzenden Leiber. Übelkeit überkam sie bei dem schmatzenden Geräusch, das jedes Mal entstand, wenn der Penis des Mannes besonders kraftvoll in die Scheide der Frau hineinstieß.

Sie wusste nicht, wie lange sie dort gestanden hatte, bevor sie sich endlich losriss und, ihre Umhängetasche wie ein Schutzschild an sich gepresst, weiter den Gang entlang stolperte.

Eva war völlig enthemmt und unbeschreiblich geil. Keuchend lag sie auf dem Rücken, die Schenkel auffordernd gespreizt. Der Fremde hatte sich tief über sie gebeugt, saugte abwechselnd hart an ihren Brüsten und führte ihre Hand, die seinen Schwanz massierte. Der war zwar nicht besonders lang, aber sehr kräftig, und Eva erschauerte bei dem Gedanken, dass dieser Prügel bald ihre Rosette entjungfern sollte.

In diesem Moment rollte Anthony endlich ein Kondom über, schob sich auf sie und begann, sie nach allen Regeln der Kunst zu ficken. Sinnlich, unnachgiebig, tief. Es fühlte sich großartig an.

Sein moschusduftender Schweiß tropfte auf ihre Brüste, und Eva wand sich wimmernd. Sie war soweit.

Ursula wurde von lang vergessenen Gefühlen heimgesucht. Ihre Entrüstung war gewichen und hatte einer körperlichen Erregung Platz gemacht, die sogar die Bitterkeit überdeckte, übergangen worden zu sein.

Halb verborgen spähte sie durch eine Tür und beobachtete mit wachsender Leidenschaft eine Szene, die sie schlicht als Orgie bezeichnen würde, hätte sie einen Namen dafür gesucht. Stattdessen fragte sie sich jedoch erneut, warum der Mikrochip auf ihrer eigenen Mitgliedsbrosche von *Ladies Paradise* ihr den Zutritt zu diesem Wunderland nicht ermöglichte, anderen Frauen hingegen sehr wohl. Fast alle der lustverzerrten weiblichen Gesichter hatte sie schon einmal in den Trainingsräumen gesehen.

Vielleicht, so begriff sie in einem seltenen Anfall von Selbsterkenntnis, sollte sie doch versuchen, ein wenig unverkrampfter zu sein, dann würde man bestimmt auch sie offiziell hierher einladen …

Ursula beobachtete die brünstigen, zuckenden Leiber und rieb, ohne sich dessen bewusst zu sein, ihr Schambein gegen den Türstock.

Da wurde sie unwillkürlich von Davids Anblick gefesselt. Der junge Trainer kniete aufrecht inmitten des zügellosen Stillebens, das lange Haar hing ihm wirr über den schweißglänzenden Oberkörper, seine Brustmuskeln zuckten, immer wieder stöhnte er auf. Mit halbgeschlossenen Augen ließ er die Hüften rotieren, sein steif aufgerichteter Penis stieß schnell zwischen die geschwollenen Lippen einer Frau, deren Wangen vom heftigen Saugen ganz hohl aussahen.

In Ursula Unterbewusstsein fiel die letzte Mauer. Hitzewellen durchrieselten sie, ihr Atem beschleunigte sich, und dann – plötzlich – durchfuhr sie ein Gedanke: *Anthony!*

In vielen der Männer erkannte sie Trainer aus dem Fitnessstudio wieder. Warum also sollte nicht auch er hier anzutreffen sein?! Sie würde nach ihm suchen, o ja! Und dann würde sie es mit ihm treiben, denn schließlich war er ja verrückt nach ihr!

Aufgeregt riss Ursula sich von der ekstatischen Darbietung und von ihrem Türstock los, um ihn zu finden.

Anthony hatte sich mit Eva herumgewälzt. Jetzt hockte sie auf allen vieren über ihm, ritt ihn in wiegendem Rhythmus, mit zitternden Muskeln.

Zwischen Anthonys Beinen kniete sich der Fremde hinter Eva. Er drängte sanft ihren Oberkörper nach vorn, um ihren Hintern weiter zu öffnen, und sie hörte ihn ein Kondompäckchen aufreißen. Dann spürte sie, wie der Mann geschickt ihre eigene Feuchtigkeit in ihrer Poritze verteilte und dabei die zarte Öffnung streichelte und dehnte.

Eva verkrampfte sich ängstlich, aber Anthony beruhigte sie mit innigen Küssen, und der andere schickte kleine Stromschläge durch ihren Körper, als er mit den buschigen Spitzen seines Irokesen aufreizend ihr Rückgrat entlang strich.

Plötzlich glitt seine Zunge über ihre Rosette. Es fühlte sich nass, weich, fleischig und unbeschreiblich köstlich an, und sehr schnell entspannte Eva sich wieder.

Dann geschah es. Während Anthony tief in ihrer Möse steckte, drang der Fremde mit einem einzigen kontrollierten Stoß von hinten in sie ein.

Dieser Schmerz!

Sekundenlang konnte Eva nicht atmen, sie hatte Angst, auseinander gerissen zu werden. Vor ihren Augen flimmerte es. Und dann war es nur noch wundervoll.

Bei jeder Bewegung rieben sich in ihrem Inneren die beiden harten Schwänze aneinander. Nur durch eine dünne Membran getrennt, verschafften sie ihr dabei unbeschreibliche Empfindungen. Das Gesicht seitlich an Anthonys Hals vergraben, nahm sie stöhnend die behutsam schaukelnden Stöße der beiden Männer in sich auf.

Die drei waren vollkommen miteinander verschmolzen, und keiner von ihnen bemerkte, dass sich langsam die Tür öffnete.

Ursula war von Raum zu Raum gehastet, von einer sexuellen Stimulation zur nächsten, wild entschlossen, Anthony zu finden. Plötzlich stand sie vor einer geschlossenen Tür. Das Blut rauschte ihr in den Ohren, als sie vorsichtig den Knauf drehte, um zu sehen, was oder besser *wer* sich dahinter verbarg.

Natürlich erkannte sie ihn sofort an seiner dunklen Haut und starrte fassungslos auf das unglaubliche Bild, das sich ihr bot: Anthony trieb es mit einem Weib, das gleichzeitig für einen anderen Kerl den Hintern hinhielt!

Mit einem lustvollen Schrei warf die Frau in diesem Moment den Kopf herum, und Ursula erkannte Eva. Das

Dreckstück trieb es mit *ihrem* Anthony, sie hatte es ja gewusst!

Die Dreiergruppe war völlig in ihr schamloses Tun vertieft, niemand nahm Notiz von Ursulas Anwesenheit. Kalte Wut breitete sich in ihr aus. Sie begann zu zittern, wollte losschreien, aber ihre Stimmbänder versagten den Dienst. Schockiert stand sie da, beobachtete, wie das Schauspiel auf seinen Höhepunkt zusteuerte. Eine Überdosis Adrenalin kochte in ihren Adern und setzte, in Verbindung mit den aufgestauten Trieben, gefährliche Energie frei. Nach einem letzten hasserfüllten Blick auf Eva machte Ursula abrupt kehrt, hastete blindlings zurück zum Aufzug und verließ die geheimen Räume ebenso unbemerkt, wie sie sie betreten hatte.

Ihr Orgasmus war so intensiv gewesen, dass sie kurz das Bewusstsein verloren hatte, und erst als die beiden Männer sich vorsichtig aus ihr zurückzogen, kam sie langsam wieder zu sich. Evas ganzer Körper fühlte sich heiß und wund an, jeder Muskel schmerzte, aber die Erinnerung an das eben Erlebte ließ – selbst jetzt, direkt danach – ihren geschundenen Unterleib zu neuem Leben erwachen. Die Lust war einfach zu groß gewesen.

Anthony musste Gedanken lesen können, denn er schob sie vorsichtig von sich herunter, drehte sie auf den Rücken und bettete ihren Kopf in seinen Schoß.

»Spreiz deine Beine für meinen Freund«, befahl er leise, während er ihr zärtlich das nass geschwitzte Haar aus dem Gesicht strich und seine Finger mit ihren verschränkte. Der Eurasier kroch zwischen Evas zitternde Schenkel. Er senkte den Kopf und ließ die Lippen so sacht über ihre Scham wandern, dass sie es kaum wahrnahm. Seufzend hob sie ihm die Hüften entgegen, und als seine schwere, nasse Zunge sie teilte, platzte ihre Muschi erneut auf wie eine überreife Frucht. Es ging sehr schnell; heftig kam sie in der feuchtwarmen Höhle seines Mundes, während sie sich an Anthonys Fingern festkrallte.

Michael lehnte an der Fahrertür seines klapprigen, weißen Volvo. Er wusste zwar, dass Eva es nicht ausstehen konnte, wenn er sie hier vor dem *Ladies Paradise* abfing, aber das kratzte ihn herzlich wenig. Er hatte Lust. Jetzt. Schließlich war sie seine Frau, verdammt, und ihr Körper dank des regelmäßigen Trainings – auf seine Kosten – jede Sünde wert!

Leider zickte sie in letzter Zeit nur noch herum, was ihm gewaltig auf die Nerven ging. Nicht nur, dass sie sich seit Jahren weigerte, seinen Großen in den Mund zu nehmen, nein! Mittlerweile stellte sie sich sogar an, wenn er einfach nur zu seinem Recht kommen wollte. Anschaulich malte er sich die Lektion aus, die er Eva heute erteilen wollte, und wurde davon nur noch schärfer. Die Blondine, die aufgeregt und flackernden Blickes auf ihn zugeeilt kam, bemerkte er erst, als sie direkt vor ihm stand.

Die Frau stammelte wirres, unverständliches Zeug, doch da war etwas in ihren fiebrigen Augen … etwas, das mehr sagte als alle Worte. Ein Gefühl der Unruhe beschlich ihn.

Eva schwebte förmlich, als sie auf die Straße trat, und das, obwohl ihr Gang verdächtige Ähnlichkeit mit dem eines O-beinigen Cowboys hatte. Jeder Knochen tat ihr weh.

Selbst für *paradiesische* Verhältnisse war dieser Dreier absolut außergewöhnlich gewesen, und während sie selig lächelnd langsam über die Straße spazierte, rief sie sich die aufregenden Bilder wieder und wieder vor ihr geistiges Auge. Den alten Volvo, der am Fahrbahnrand parkte, bemerkte sie nicht.

Es war ein lauer Frühsommerabend, und weil ihre Beine sich immer noch anfühlten, als bestünden sie aus Knetgummi, steuerte Eva erst einmal die benachbarte Parkanlage an. Hier wollte sie sich in aller Ruhe eine adäquate Ausrede für ihren desolaten Zustand ausdenken, damit Michi keinen Verdacht schöpfte. Eine neue Trainingsmethode vielleicht – nur für Fortgeschrittene – oder etwas ähnlich Sportliches, mit dem sie ihrem Mann sogar noch eine Freude machen würde …

Mit schmerzendem Po setzte sie sich gerade vorsichtig auf eine Parkbank, als ein schrilles Geräusch sie zusammenzucken ließ. Es klang wie eine Feuerwehrsirene. Diese schien allerdings aus einem nahen Gebüsch zu kommen, und Eva verharrte erschrocken in Halbacht-Stellung, als sie plötzlich aus derselben Richtung die unverkennbare Stimme ihres Mannes vernahm.

»Sie wollten mir also etwas Wichtiges erzählen«, Michaels Worte klangen unangenehm gepresst, »etwas über meine Frau, ja?«

Eva stockte das Blut in den Adern. *Sie war aufgeflogen, jetzt war alles aus!* Entsetzt schlich sie auf das sprechende Gebüsch zu.

»Ich bin ganz Ohr«, drängte Michael atemlos, »packen Sie ruhig aus!« Man konnte deutlich hören, dass er jeden Moment die Kontrolle über sich verlieren würde.

Jetzt sprach der Verräter, offenbar weiblichen Geschlechts, doch die hastige, unartikulierte Antwort wurde vom scharfen Reißen eines Stoffes übertönt. Um Himmels Willen, war Michael von Sinnen? Tat er seiner Informantin etwas an, noch bevor er überhaupt Näheres erfahren hatte? *Oder wusste er schon etwas?* Gefahr!!!

Eva schlich immer näher und versuchte hinter das Buschwerk zu linsen, als plötzlich verdächtig vertraute Grunz- und Stöhngeräusche an ihr Ohr drangen. Vollkommen verdutzt erblickte sie gleich darauf ihren Mann. Der rieb sich heftig knutschend an einer zaundürren, halb nackten Blondine deren Haaransatz dunkel nachwuchs. Ihr Kleid hing vorne in Fetzen und entblößte kleine, spitze Brüste, die jetzt wackelten wie Götterspeise. Tja, die Kontrolle über sich hatte er offensichtlich bereits verloren. Wenn auch anders als vermutet. So unsanft, wie es nun mal seine Art war, murkste Michael mit fahrigen Fingern der Frau im baumwollenen Höschen herum, doch ihr schien das erstaunlicherweise zu gefallen, denn er provozierte damit erneut das sirenenartige Geheul. Eva zog unwillkürlich den Kopf ein, als sie erkannte, *wer* sich da ihrem Ehemann so bereitwillig hingab.

Die frustrierte Ursula und der freudlose Michael spielten fröhlich Ringelpietz mit Anfassen. In einer öffentlichen Parkanlage, war das zu fassen?! Um ein Haar hätte Eva laut losgekichert, so unglaublich fand sie diesen Winkelzug des Schicksals.

»Nun erzählen Sie doch endlich«, nuschelte Michi schmatzend, während er an den rosinengleichen Nippelchen vor seiner Nase zuzelte. Dabei war allerdings mehr als offensichtlich, dass er sich in einem Zustand befand, in dem seinem Gehirn gar nicht mehr genug Blut zur Verfügung stand, um eine eventuelle Antwort geistig noch verarbeiten zu können.

»Später!«, keuchte Ursula auch prompt, bevor sie eines ihrer Spinnenbeine um Michaels Hüften wickelte und sich in seiner Schulter verbiss. Eva verging das Lachen. Ihr fiel ein, wie sie beim Verlassen des *Ladies Paradise* das Fehlen ihrer Mitgliedsbrosche bemerkt hatte. Und Ursula war zuvor mit ihr im Umkleideraum gewesen …

O Gott, wenn die ihr nun in die geheimen Räume gefolgt war … Wenn es *das* war, was sie Michael erzählen wollte, drohte eine Katastrophe!

Das ist die Vertreibung aus dem Paradies, schoss es Eva in den Kopf, und sie starrte geistesabwesend auf den Hinterkopf ihres Mannes, wo Ursulas lange, dünne Finger ihm das leicht schüttere Haar zerwühlten. *Grunzen, Stöhnen, Sirene. Grunzen, Stöhnen, Sirene. Grunzen, Stöhnen, Sireeeeeeeeeeeeeene.* Junge, Junge, die gingen vielleicht ran! Trotz allem konnte Eva ihren Blick kaum abwenden und spähte ganz ungeniert durch das Blattwerk, als ihr plötzlich eine Idee kam. Sehr vorsichtig kramte sie ihr Handy aus der Sporttasche. Dann bezog sie auf leisen Sohlen eine Position, die ihr den günstigsten Blickwinkel auf das Geschehen ermöglichte. Wie gut, dass es dieser Tage abends so lange hell war!

Michael trat einen Schritt zurück, und Eva ging vorsichtshalber schnell in Deckung. Er aber verschwendete keinen Blick an seine Umgebung, sondern fixierte Ursula. Die Gute hatte vor Aufregung ganz rote Backen. Jetzt endlich öffnete Michael lüstern grinsend den Stall seiner abgeschabten Breitcordhose und entblößte eine kräftige Erektion, die er auffordernd wippen ließ.

»Komm schon«, lockte er selbstgefällig, »Eiweiß ist gesund!«

Eifrig ging Ursula in die Knie und stülpte ihre schmalen

Lippen so gierig über seinen Schwanz, als wolle sie ihn fressen. Dann legte sie richtig los, und ihre nackten Brüste hüpften wild im Takt. Michael hielt mit beharrlichem Griff ihren Kopf heruntergedrückt, sein Gesicht verzerrte sich, die Zunge hing ihm ein Stück aus dem halb geöffneten Mund. Er hatte selten dämlicher ausgesehen, und Ursula … na ja.

Eva schaltete ihr Handy auf Kameramodus und schoss heimlich Foto um Foto von dem ahnungslosen Paar: Eine hübsche Auswahl absolut nicht jugendfreier Aufnahmen, die es locker mit jedem Schmuddelmagazin aufnehmen konnten! Schließlich wusste man ja nie, wozu solche Erinnerungsfotos eines Tages nützlich sein würden …

Ein überaus zufriedenes Grinsen im Gesicht und geradezu beflügelt verließ Eva wenig später den Park. Jetzt war alles gut. Nein, sogar *besser* als gut: Michael hatte Ursula. Ursula bekam die … Schlange, und für sie – Eva – blieb das *Paradies!*

Zu schön, um wahr zu sein

Die folgende Geschichte muss ich einfach loswerden, weil ich mich mit ihrem Ausgang bis heute nicht wirklich abfinden kann …

Ich wohnte damals gerade erst ein paar Wochen in München, als mir auf einer Vernissage ein Arzt vorgestellt wurde, angeblich ein Meister der plastischen Chirurgie. Da ich wenige Jahre zuvor bei einem Autounfall einige schlecht verheilte Narben an den Beinen davongetragen hatte, wollte eine Bekannte mir einen Gefallen tun und machte mich mit Doktor Andreas Bertram bekannt.

Er war ein ausgesprochen schöner Mann, obwohl ich blonden Männern sonst wenig abgewinnen konnte. Groß, maskuline Statur, mit einem überaus anziehenden Gesicht, blauen Augen und einem umwerfenden Lächeln ausgestattet. Ich war damals Anfang 20, ihn schätzte ich auf Mitte 30. Wir hielten ein wenig Party-Smalltalk, ohne ins Detail zu gehen, und vereinbarten, dass ich ihn in seiner Praxis aufsuchen sollte.

Wenige Tage später erhielt ich einen Termin. Er praktizierte in Bogenhausen, in einem großzügigen, hellen, luxussanierten Altbau. Als ich vor der Tür stand, war ich ziemlich überrascht, auf seinem Namensschild groß die Bezeichnung Gynäkologe zu lesen; der Hinweis auf die plastische

Chirurgie tauchte hingegen nur am Rande auf. Du lieber Himmel, dachte ich, niemals würde ich zu einem so attraktiven Frauenarzt gehen!

Ich überreichte der Sprechstundenhilfe meinen Krankenschein und registrierte erstaunt, dass die Frauen im Wartezimmer ziemlich normal aussahen. Keine in Prada oder Chanel gewandeten Schickimicki-Miezen, wie ich sie eigentlich erwartet hatte. Als Dr. Bertram mich dann ins Sprechzimmer rief, verblüffte es mich aufs Neue, wie gut er aussah. Selbst bei Tageslicht.

Ich kam direkt auf den Grund meines Besuchs zu sprechen, doch überraschenderweise erklärte er mir, dass er mir nicht helfen könne, denn in Deutschland operiere er hauptsächlich Brüste, und das hätte ich offensichtlich nicht nötig. Aha.

Ich war also für nichts und wieder nichts gekommen. Oder doch nicht? Dr. Bertram entpuppte sich nämlich als außerordentlich angenehmer Gesprächspartner, und er schien es auch gar nicht eilig zu haben, mich wieder loszuwerden.

»Wo operieren Sie denn noch, außer in Deutschland?«, gab ich den Ball, den er mir zugespielt hatte, nun zurück.

»In Thailand«, antwortete er. »Ich fliege meist einmal im Monat nach Bangkok und nehme dort mit einem Kollegen Geschlechtsumwandlungen vor.«

Bitte? Na, das war ja mal eine exotische Geschichte!

Nach einer kleinen Weile verabschiedeten wir uns freundlich, und ich hakte Dr. Bertram als unterhaltsame Episode ab. Eine Bekanntschaft, die im Sande verlief, weil ich natürlich auf keinen Fall seine Fähigkeiten als Gynäkologe in Anspruch nehmen würde! Dachte ich …

Tatsächlich aber neigte sich schon bald meine Vorratspackung Anti-Baby-Pillen dem Ende zu, und ich hatte mich in München zu diesem Zeitpunkt weder um einen Haus- noch Zahn- noch um sonst einen Arzt gekümmert. Geschweige denn einen Frauenarzt. Wo sollte ich also mein Rezept für die Pille herbekommen? Da fiel mir Dr. Bertram wieder ein. Er war Gynäkologe und hatte bereits meinen Krankenschein für dieses Quartal. Sollte der mir doch einfach ein Rezept ausstellen.

»Natürlich«, bestätigte mir die Sprechstundenhilfe am Telefon, »das ist kein Problem. Allerdings müsste der Herr Doktor Sie dazu kurz untersuchen, da Sie eine neue Patientin sind.«

O nein!

Als die Arzthelferin dann einen kurzfristigen Termin vorschlug, wusste ich nicht, wie ich mich aus der Sache herauswinden sollte. Ich konnte mir ja schlecht von Dr. Bertram eine Überweisung zu einem anderen Frauenarzt geben lassen …

Schließlich war der gefürchtete Moment gekommen, und ich saß mit Schwitzehändchen in Dr. Bertrams Wartezimmer. Von Kopf bis Fuß gewaschen, gesalbt und parfümiert, an den entscheidenden Stellen sorgfältig rasiert, mit frisch gewaschenen Haaren, in meiner teuersten Unterwäsche, meinem schönsten Kleid und den schicksten Schuhen. Dazu muss ich erwähnen, dass ich an meinem Äußeren eigentlich selten etwas auszusetzen hatte, aber an diesem Tag war ich trotzdem fürchterlich nervös und konnte mich auf keine der ausliegenden Zeitschriften konzentrieren.

Als der Herr Doktor mich hereinrief, bemerkte ich schnell, dass er zwar beunruhigend attraktiv, aber vor allem auch ein vorzüglicher Mediziner war. Obwohl ich als einfache Kassenpatientin ihm nicht viel einbrachte, nahm er sich Zeit für eine ausführliche Anamnese und plauderte entspannt mit mir.

Sobald wir an diesem Tag jedoch ins Untersuchungszimmer hinüberwechselten, war ich – obwohl sonst nicht besonders zimperlich, was die gynäkologische Verrichtung angeht – doch wieder sehr befangen ... Ein männlicher Frauenarzt sollte, ach was, *musste* einfach aussehen wie ein netter Onkel und nicht wie Robert Redford in größer, schöner und besser!

Taktisch klug hatte ich ein Kleid mit weit schwingendem Rock angezogen, das vorne durchgeknöpft wurde, damit ich mich vor Dr. Bertram nicht ausziehen musste. Hinter dem schweren Vorhang entledigte ich mich deshalb nur meines weißen Spitzenslips, stöckelte zum Untersuchungsstuhl und setzte mich mit gerafftem Rock darauf zurecht.

Eines war ganz schnell klar: Auch im Untersuchungszimmer erwies er sich als vorbildlicher Arzt. Ich durfte ihm nur nicht – und zwar auf keinen Fall – *dabei* in die Augen sehen, denn diese Augen waren wirklich unglaublich. Groß, tiefblau und lang bewimpert, mit ganz feinen Lachfältchen in den Winkeln. Man konnte darin untergehen, darauf bestehe ich, auch wenn es sich noch so kitschig anhört. Im Gesicht eines »Höhlenforschers« wirkten sie allerdings ziemlich fehl am Platz!

So starrte ich während der Untersuchung Löcher in die Luft, und als ich danach gerade mein Höschen wieder übergestreift hatte, teilte mir Dr. Bertram von jenseits der Umkleidekabine mit, dass er noch eine Brustkrebsvorsorge machen müsse. Ich streifte also mein Oberteil herunter, zog den weißen Spitzen-BH aus und trat nochmals zu ihm. Er tastete meine Brüste ab. Das machte er natürlich sehr professionell, und als er mir dann versicherte, ich hätte aber wirklich einen besonders schönen Busen, klang das in keiner Weise anzüglich, sondern sehr nett. Ich verließ seine Praxis mit dem Gefühl, eine tolle Frau zu sein. Ganz abgesehen davon, dass ich endlich einen verlässlichen, kompetenten Arzt gefunden hatte.

Eines Abends, ich war mit meiner Freundin feiern, traf ich ihn in einem angesagten Club, wo wir ein paar nette Worte wechselten. Gott sei Dank hatte ich mir an diesem Abend besonders viel Mühe mit meinem Outfit gegeben, denn er sah wie immer atemberaubend gut aus. So gut, dass meine Freundin sich natürlich nach ihm erkundigte.

»Das war mein Frauenarzt«, erwiderte ich mit wohldosierter Sensationslust in der Stimme, wissend, dass ich sie damit schockieren würde.

»Was?«, fragte sie prompt. »Du hast einen Frauenarzt, den man beim Ausgehen trifft? Das ist doch Horror, der weiß schließlich genau, wie du von innen aussiehst ...«

»Aber er ist ein unglaublich guter Arzt«, erklärte ich ihr, weil ich mich plötzlich erinnerte, wie dringend sie einen sachkundigen Gynäkologen benötigte.

Es kostete mich noch einige Überzeugungsarbeit, doch dann machte sie einen Termin in seiner Praxis, und nach kurzer Zeit war sie ihr spezifisches Problem tatsächlich los. Die Tatsache, dass Dr. Bertram nebenbei ein Mann war, ließ sie von Stund an allerdings nie mehr wirklich an sich heran. Aber immerhin freute auch sie sich, wenn er ihr glaubhaft versicherte, wie schön ihr Busen sei.

Ich bin übrigens niemals sonst so regelmäßig zum Frauenarzt gegangen wie damals. Unser Verhältnis konnte man indes nicht gerade persönlich nennen, dazu hatte ich vermutlich zu viel Respekt vor seinem weißen Kittel – ganz abgesehen vom Altersunterschied. Trotzdem war es wohl kaum Einbildung, dass er mich irgendwann nicht mehr nur als Patientin, sondern auch als Frau wahrnahm.

Ich hatte zu der Zeit einen Freund, was ich Dr. Bertram als meinem Gynäkologen natürlich erzählte, aber bis heute habe ich keine Ahnung, ob er selbst liiert war oder nicht. Er trug keinen Ehering, und irgendwie hätte ich ihn mir auch nicht verheiratet vorstellen können. Ich wusste, dass er sich gern ins Münchner Nachtleben stürzte, dass er Golf spielte und regelmäßig Kurzurlaube in schicken Ski-Orten einlegte. Zudem waren seine Sprechstundenzeiten so ausgedehnt, dass man allein schon daran wirklich den Arzt aus Leidenschaft erkennen konnte. Und dann blieben da ja auch noch seine regelmäßigen Geschäftsreisen, auf denen er nach wie vor kleine Thailänder »umbaute«. Wie hätte da eine Frau Platz haben sollen? Ohnehin argwöhnten meine Mädels und ich, dass er sich unter Umständen mit ein bisschen Koks am Laufen hielt. Für mich ganz klar der einzige mögliche Minuspunkt auf Dr. Bertrams Persönlichkeitskonto – andererseits war er schließlich auch nur ein Mensch …

Irgendwann begegnete ich ihm wieder einmal nachts. Ich erinnere mich genau, denn es war der Abend der »P1«-Wiedereröffnung nach dem großen Umzug. In meinem neuen Kleid und bester Kriegsbemalung war ich voll in meinem Element, doch mein Freund oder in diesem Fall auch »Lebensabschnittsstoffel« hatte wie üblich nicht mal das klitzekleinste Kompliment für mich übrig. Da entdeckte ich Dr. Bertram, der lässig an einer Bar lehnte.

»Hallo, Sie sehen ja phantastisch aus«, waren, wie insgeheim erhofft, meines Gynäkologen erste Worte, als wir uns begrüßten. Wir unterhielten uns sehr angeregt, und ich bin mir ziemlich sicher, dass ich – zumindest nonverbal – ein wenig mit ihm flirtete. Kurz darauf gesellte ich mich wieder zu meinem Freund, der mich betont beiläufig fragte, wer denn das gewesen sei. Sein dummes Gesicht, als ich »Mein Frauenarzt!« erwiderte, werde ich nie vergessen! Allerdings konnte man es ihm wohl kaum verübeln, dass ihn diese Mitteilung nicht besonders glücklich machte.

Möglicherweise fing Dr. Bertram ja an genau diesem Abend an, mich mit etwas anderen Augen zu sehen. Vielleicht entstand erst da diese gewisse Schwingung.

Jedenfalls kam es bald danach zu einer Situation, die sich von allem unterschied, was ich vorher in seiner Praxis erlebt hatte.

Ich saß auf dem Stuhl, die gespreizten Beine in den Halteschalen, bereit zur Untersuchung. Wie immer sah ich überall hin, nur nicht in sein Gesicht.

Dr. Bertram rollte auf seinem Hocker heran, warf einen Blick zwischen meine Schenkel und sagte:

»Oh, da sind ja gar keine Haare!«

Dieser Ausspruch war insofern ungewöhnlich, als dass ich mir schon seit geraumer Zeit sorgfältig die Muschi rasierte, und er diesen Anblick folglich nicht zum ersten Mal sah. Außerdem war da etwas in seinem Tonfall. Der klang nämlich alles andere als sachlich, eher bewundernd … oder verführerisch.

Trotz meiner sonst recht großen Klappe stammelte ich als Erwiderung leider irgendetwas, das dem Augenblick jegliche Erotik nahm. Ich war einfach verlegen und spürte, wie mein Gesicht feuerrot wurde, während ich krampfhaft den kunstvollen Stuck an der Decke studierte.

Dr. Bertram führte die Untersuchung durch, als sei nichts gewesen, aber spätestens jetzt hatte er sich eine zentrale Rolle in meinen erotischen Träumen gesichert.

Wie wäre das wohl, mit einem Gynäkologen zu schlafen? Mit einem Kerl, der einerseits zwar anatomischer Experte, andererseits jedoch vermutlich ziemlich abgestumpft war und mit einem Kopf voller lustfeindlicher, lateinischer Fachbegriffe ans Werk ging? Konnte ein solcher Mann überhaupt normalen Sex haben? Ohne immer gleich die Krebsvorsorge mit zu erledigen, wenn er eine Brust streichelte, oder bei einem heißen Cunnilingus genau zu wissen, welche verschiedenen Bakterienkulturen dabei über seine Zunge spazierten? Der Gedanke beschäftigte mich sehr, und ich hätte es zu gern einfach ausprobiert. Immerhin wusste der Mann wenigstens mit Sicherheit genau, was er zu tun hatte ...

Vielleicht sollte Dr. Bertrams Bemerkung über meine Intimrasur ja tatsächlich als Test dienen. Selbstverständlich durfte er nicht deutlicher werden, als Arzt seiner Patientin gegenüber, doch schien er mir erfolgsverwöhnt genug, um wenigstens vorzufühlen. Bei der Untersuchung war nie eine Sprechstundenhilfe zugegen, und er nahm sich immer sehr viel Zeit, die sich auch aufregender hätte nutzen lassen!

Wie wäre es weitergegangen, wenn ich damals anders, selbstsicherer reagiert hätte? Nicht mit einem anzüglichen Spruch – das brächte ich vermutlich heute noch nicht fertig ... Aber ihm, wenn auch klopfenden Herzens, endlich direkt ins

Gesicht zu sehen und mit den Augen ein ermutigendes Signal zu senden, das wäre durchaus realistisch gewesen. Alle Wahrnehmung dann auf den schönen, in seinem weißen Kittel so unnahbar wirkenden Mann zu konzentrieren, vor dem ich halb nackt auf dem Untersuchungsstuhl lag … Hätte er mich angefasst, ohne mich dabei aus den Augen zu lassen? Würde er mich genau beobachten, während er über meine Haut streichelte?

Die Hände fühlen sich fremd und kühl an, er berührt mich am ganzen Körper, schiebt mein Shirt hoch, reibt das Gesicht an meinem Busen. Die unsichtbaren Bartstoppeln erregen mich. Seine Lippen wandern zwischen meinen aufgerichteten Brustwarzen hin und her, er saugt daran, beißt hinein. Meine Hände krallen sich in gestärkte weiße Baumwolle.

Die Unwirklichkeit der Situation, das sterile Umfeld und der respektgebietende Mann, der mich begehrt, lassen wilde Lust in mir aufsteigen. Ich will ihn berühren, sehen, schmecken, doch als ich versuche, seinen Kittel aufzuknöpfen, zwingt er meine Hände herunter.

»Gib dich hin …«, sagt er rau. Vielleicht ist es auch etwas Ähnliches, doch vermittelt es mir unmissverständlich die Aufforderung, passiv zu bleiben.

Er drückt ein paar unsichtbare Knöpfe an der Seite des gynäkologischen Stuhls, und die Rückenlehne senkt sich langsam herab. Auch der Neigungswinkel der Sitzfläche verändert sich, so dass ich nun mit hochgerecktem Becken auf dem Rücken liege. Ich fühle mich ausgeliefert, ohne ängstlich zu sein, aber meine Schenkel in den Beinschalen zittern.

Seine Hände streichen samtweich über meine Schamlippen. Er verteilt etwas von dem Gleitmittel darauf, das eigentlich für den Ultraschallstab vorgesehen ist, und der plötzliche Kältereiz lässt mich zusammenzucken. Ganz langsam ertasten seine Finger jede Wölbung und jede Falte, dabei sieht er mir unverwandt ins Gesicht. In seinen Augen steht ein höchst konzentrierter Ausdruck, der mich erschauern lässt, doch sein schwerer Atem straft die vermeintlich kühle Distanz Lügen.

Den Blick in meinen versenkt, führt er mir auf einmal einen Finger ein. Er stößt ihn unerwartet heftig in mein Loch, und ich spüre, wie feucht ich bin, wie meine Muskeln ihn gierig einsaugen. Meine Lider flattern, es ist schwierig, sie nicht zu schließen, doch sein Gesicht sagt mir, dass er mich ansehen will. Der Finger gleitet in mir hin und her, aber eigentlich fickt er mich mit den Augen.

Einzelne Strähnen lösen sich aus seiner akkuraten Frisur, sein Blick verschwimmt, mit einer Hand knöpft er den Mantel auf, die weiße Hose, und ich recke die Arme hoch, weil ich ihn endlich anfassen möchte. Er erlaubt es mir nicht. Stattdessen lässt er von mir ab, um sich ein Kondom überzustreifen. Ich will ihn wenigstens ansehen und stelle mir vor, es wäre meine Hand, die das transparente Gleitmittel auf dem schönen, kräftigen, von feinem Latex umhüllten Schwanz verreibt.

»Sag mir, was du willst!«, befiehlt er flüsternd, aber ich bringe nichts außer einem atemlosen Keuchen hervor.

»Sag es mir, ich will es hören!« Sein Blick ist fordernd, mit einer Hand spreizt er meine Scham, die andere massiert mit glitschigen Fingern meinen geschwollenen Kitzler.

»Fick mich«, stoße ich hervor und wölbe ihm meinen

Unterleib entgegen. Ich bin erregt von seiner Dominanz, von dem, was wir treiben und auch von meinen schamlosen Worten.

Er tut es. Hart dringt er in mich ein. Sein Schwanz ist außergewöhnlich dick, doch das Gleitmittel und meine eigenen Säfte lassen ihn mühelos ganz tief hineingleiten, obwohl er mich so vollständig ausfüllt, dass ich für einen Moment nicht atmen kann. Er verharrt, ohne sich zu bewegen, und seine Augen fixieren mich, als wolle er mich hypnotisieren.

Dieser Untersuchungsstuhl ist wie für Sex gemacht. Er ermöglicht es ihm, in der richtigen Höhe zwischen meinen Beinen zu stehen und mich im perfekten Winkel zu vögeln.

Ich spüre, wie er sein Becken bewegt. Erst ganz sachte nur, doch dann steigert er das Tempo, die Stöße werden härter, unbeherrschter. Irgendwo südlich von meiner Klitoris erwacht etwas zum Leben, das ich bisher nur aus Büchern kannte, und ich stöhne, weil ich die Kontrolle über meinen Körper verliere. Hitzewellen überlaufen mich, ich sehe rote Feuerbälle. Es ist ein Gefühl, als würde ich schweben. Ein Gefühl, das nie mehr aufhören soll …

Noch immer hält sein Blick mich fest, gestattet mir nicht, mich in den geschützten Raum meiner persönlichen Intimsphäre zurückzuziehen, und das vergrößert den Reiz dieses verbotenen Augenblicks. Die Art, wie wir – zwei beinahe Fremde – uns bei unserem Tun ununterbrochen ansehen, hat etwas unglaublich Verdorbenes. Jede Nuance der Lust im Gesicht des anderen zu beobachten, fühlt sich unanständiger an als die Finger, die bei jedem Stoß aufreizend meine Schamlippen massieren.

Es geschieht ganz plötzlich. Als ich bemerke, dass er sich

kaum noch beherrschen kann, dass seine Überlegenheit hilfloser Wollust weicht, komme ich. Ohne dass ich nachhelfen oder forcieren muss, steigt tief aus meinem Körper ein so heftiger Orgasmus auf, wie ich ihn nie für möglich gehalten hätte.

Ich weiß nicht, ob ich dabei schreie, den Kopf herumwerfe oder sonst etwas von den Dingen tue, die gemeinhin als Beweis höchster Lust gelten, denn tatsächlich ... habe ich diese Ekstase ja gar nicht wirklich erlebt.

Aber es gab damals eine Menge Phantasie-Ficks verschiedenster Art mit Dr. Bertram. Ich war nur zu feige, zu jung, zu scheu, zu ... was auch immer, um meine Träume Wirklichkeit werden zu lassen.

Jetzt ist es dazu zu spät. Dr. Andreas Bertram ist tot, und obwohl mittlerweile Jahre ins Land gegangen sind, beschäftigt es mich bis heute, dass er von einem Tag auf den anderen einfach nicht mehr da war.

Ich erfuhr es eines Abends von einem flüchtigen Bekannten in meiner Lieblingsbar, als ich die versammelte Tischrunde mal wieder mit der lustigen Geschichte von meinem atemberaubenden Frauenarzt erheitern wollte. Kaum hatte ich seinen Namen erwähnt, als jemand rief:

»Ach, das ist doch der, der gerade in Bangkok tot umgefallen ist.«

»Was?« fragte ich. »Blödsinn!«

»Doch, doch«, gab mein Gegenüber zurück, »das stand heute in der Zeitung!«

Ich schüttelte weiter den Kopf, das konnte schließlich nicht sein. Wäre ja auch ein seltsamer Zufall. Die Zeitung hatte ich nicht gelesen, daher wusste ich nichts von den

Fakten, die nun sensationslüstern vor mir ausgebreitet wurden.

Dr. Andreas Bertram befand sich in seiner Eigenschaft als plastischer Chirurg auf einer seiner Reisen nach Thailand – das wusste ich sogar, denn in der Woche zuvor hatten wir noch darüber gesprochen –, als er beim Verlassen eines Lokals im Bangkoker Rotlichtviertel unvermittelt tot zusammenbrach. Die Todesursache sowie der gesamte Sachverhalt lagen vollkommen im Dunkeln.

Das konnte keine Zeitungsente sein! Aber war es möglich?

Dr. Bertram, mein wunderbarer Dr. Bertram, lebte nicht mehr? Hatte ihn ein unzufriedener transsexueller Patient auf dem Gewissen? Und was tat er im Rotlichtviertel?

Ich weinte um ihn.

Am nächsten Tag rief ich in seiner Praxis an. Klammerte mich an die verzweifelte Hoffnung, alles könne sich als Irrtum herausstellen. Aber nein. Eine schluchzende Sprechstundenhilfe bestätigte den Tod des Herrn Doktor und wimmelte mich schnell wieder ab. Schließlich gab es nichts weiter zu sagen.

Die Münchner Schickeria sah das natürlich ganz anders. Innerhalb kürzester Zeit kursierten die wildesten Gerüchte und Spekulationen um den Tod des schönen Frauenarztes. Eine zweite Version der Geschichte tauchte auf, in welcher Andreas Bertram in seinem Bangkoker Hotelzimmer tot von einer Hure gefunden worden sei. Ebenfalls eine Vorstellung, die mir nicht gefiel, denn sie passte nicht zu dem Bild, das ich mir von Dr. Bertram gemacht hatte. Auch eine Rolle als illustrer Drogenbaron oder wenigstens -kurier wurde ihm plötzlich angedichtet. Möglich?!

Bis heute konnten, soweit ich weiß, die Umstände seines

Todes nicht aufgeklärt werden, und bis heute denke ich an ihn, obwohl er nichts weiter als mein Arzt war.

Die Guten gehen immer zuerst, heißt es. War er ein Guter? Für mich – ja! Aber er war eben auch einfach zu schön, um wahr zu sein …

Happy Fick

Aufseufzend streifte Tabea die klassischen hochhackigen Pumps von den müden Füßen und stellte sie ordentlich in die Ecke der *Happy-Fick*-Kabine. Den Blazer ihres strengen Business-Kostüms hängte sie an den dafür vorgesehenen Haken, ebenso den Rock, die seidenzarte Bluse und den Mikrofaser-BH mit eingebauter Massagefunktion für dauerhaft straffe Brüste. Diese neueste Errungenschaft der Nano-Technologie hatte Tabea sich unbedingt sofort bestellen müssen. Sie wusste zwar beim besten Willen nicht, für wen sie ihre Brüste attraktiv erhalten sollte, doch die Vorstellung von Milliarden Nano-Bots, mikroskopisch kleiner Roboter, die beim Tragen des BHs permanent ihren Busen massierten, hatte sie irgendwie belustigt. Und das Ding schien zu halten, was es versprach, wie ihr der schmale Spiegel in der Ecke zeigte: Die beiden Halbkugeln standen prall von ihrem Körper ab, die Haut schimmerte rosig, und die Brustwarzen waren – ob auf Grund der Mikro-Massage oder aus Vorfreude auf den »*Happy Fick*« – steil aufgerichtet.

Doch auch der Rest von Tabeas Spiegelbild konnte sich sehen lassen. Sie war wunderbar üppig gebaut – eine schreckliche Vorstellung, dass noch zu Zeiten ihrer Ur-Großmutter die Mode von völlig verhungert aussehenden Models bestimmt wurde. Seit knapp hundert Jahren durfte eine Frau endlich ihren naturgegebenen Körper so annehmen, wie er war … Ihr Gesicht war ebenmäßig und die großen Augen schimmerten blau. Das schulterlange Haar hätte vielleicht ein wenig fülliger sein dürfen, dafür war es jedoch von herrlichem, natürlichem Honigblond. Der kleine genetische Eingriff, dem ihre Mutter sich während der Schwangerschaft unterzogen hatte, um diese Haarfarbe zu programmieren, zählte ja nicht …

Ihr Äußeres war also sicherlich nicht der Grund für Tabeas tristes, einsames Singledasein. Wohl eher die Art, wie sie sich von ihrem Job auffressen ließ. Sie kletterte beharrlich die Karriereleiter empor, und ihre Tage hatten einfach nicht genug Stunden, um das Arbeitspensum *und* die Suche nach einem Mann unter einen Hut zu bekommen. Die Bekanntschaften, die sie im Berufsleben machte, brachten sie dem Märchenprinzen auch nicht näher. Das waren alles graugesichtige, freudlose, verheiratete Typen. Natürlich absolut untauglich für etwas Festes, bestenfalls geeignet für eine schnelle Nummer auf dem Datenterminal. Allerdings auch nur, wenn sie direkt den handlichen *Desinfektor 7000* aus der Tasche zauberte, damit die Herren sich auf sichere und bequeme Weise aller Spuren des außerehelichen Vergnügens entledigen konnten. Nach den wenigen, unerquicklichen Versuchen, die Tabea in diese Richtung unternommen hatte, war sie jedes Mal traurig, einsam und grauenhaft unerfüllt in ihre schicke Wohnzelle im 128sten Stock eines luxuriösen Mietturmes zurückgekehrt und schwor, sich nie wieder so zu demütigen …

Dann wurden die ersten *Happy-Fick*-Filialen eröffnet, und plötzlich bekam das Leben Millionen unbefriedigter Männer und Frauen im ganzen Land neuen Sinn. Basierend auf dem

Selbstbedienungskonzept von Sonnenstudios und vollautomatischen, orthopädischen Massagekabinen, setzten die Erfinder von *Happy Fick* auf die Erfüllung eines menschlichen Grundbedürfnisses: Sexuelle Triebe konnten hier hygienisch, unkompliziert und zu vollster Zufriedenheit reguliert werden. Das Konzept ging auf, und so gab es bald selbst in Kleinstädten *Happy-Fick*-Studios an jeder Ecke. Die anfangs horrenden Preise waren schnell erschwinglich geworden, besonders seit Konkurrenten wie *SB-Bums* oder *Pimperking* versuchten, sich Marktanteile zu sichern. *Happy Fick* blieb jedoch Tabeas Favorit, da dort modernste technische Möglichkeiten eingesetzt wurden. Diese gestatteten nämlich eine unübertroffen realistische Darstellung des gewählten Programms, sodass man sicher sein konnte, die markerschütternden Orgasmen auch tatsächlich zu erleben, mit welchen *Happy Fick* für sich warb. Bei *SB-Bums* war sie tatsächlich einmal unbefriedigt geblieben, ohne dass sie im Anschluss ihr Geld zurückbekommen hätte.

Als sie aus ihrem selbstreinigenden Spitzenslip schlüpfte, überzeugte Tabea sich nochmals davon, dass sie die Tür ihrer schallisolierten Kabine auch wirklich abgeschlossen hatte. In letzter Zeit gab es immer wieder Fälle sozial unterprivilegierter Männer, die das Geld für einen eigenen *Happy Fick* nicht aufbringen konnten und sich in die Kabine einer Frau schlichen, nachdem diese ihr Programm gestartet hatte und bereits auf dem unsichtbaren Energienetz im Raum schwebte. Da alle Sinne der Kabinennutzerin abgelenkt waren, während sie sich der virtuellen Stimulation hingab, konnten die Spanner dabei ungestört manuell ihre Erleichterung herbeiführen. Oder – die schlimmere Variante – sie machten direkten Gebrauch der aufnahmebereiten Vagina vor sich.

Für die Frauen sehr unangenehm und sogar gefährlich, da dies zu empfindlichen Störungen des Computerprogramms führen konnte. Vereinzelte Fälle ungewollter Empfängnis waren nach solchen Vorfällen ebenfalls bekannt geworden, wenn die betroffene Frau keinen Verhütungschip implantiert hatte – von der Gefahr sexuell übertragbarer Krankheiten ganz zu schweigen. Der Gedanke an einen *natürlichen* Geschlechtsakt war Tabea ohnehin ziemlich unheimlich, und sie hatte nie verstanden, was manche Menschen an dieser altmodischen Art, den Geschlechtstrieb auszuleben, so reizvoll fanden. Selbst seine Kinder konnte man heutzutage problemlos im Labor zeugen, eine immer beliebter werdende Sonderleistung des Instituts für *Hygienische Erbgutweiterleitung.*

Tabea aktivierte den Touch-Screen-Monitor.

HERZLICH WILLKOMMEN BEI *HAPPY FICK.*

SIE WERDEN NUN DURCH UNSER AUSWAHLMENÜ GELEITET. BITTE ENTSCHEIDEN SIE SICH FÜR *HAPPY FICK* INDIVIDUAL ODER *HAPPY FICK* SURPRISE.

Tabea wählte ohne Zögern den *Happy Fick* Individual, der die exakte Zusammenstellung eines Erlebnisses nach ihren persönlichen Vorgaben gestattete. Die Überraschungsvariante, *Happy Fick* Surprise, bei der wirklich *alles* passieren konnte, machte sie nervös. Obwohl die Nummer, bei der sie die Insassen des gesamten Hochsicherheitstrakts eines Gefängnisses zu ihren Lustsklaven degradiert hatte, durchaus reizvoll gewesen war ... Doch da sie ohnehin eine längere Aufwärmphase brauchte, um sich fallen lassen zu können, ging sie lieber auf Nummer Sicher.

MIT WIE VIELEN PARTNERN MÖCHTEN SIE IHREN *HAPPY FICK* GENIESSEN?

Tabea, beseelt von der schwärmerischen Sehnsucht nach einem Märchenprinzen ganz für sie allein, tippte auf die »1«.

WÜNSCHEN SIE IHREN *HAPPY FICK* MIT EINEM MÄNNLICHEN ODER WEIBLICHEN PARTNER?

Sie wählte »männlich«.

MÖCHTEN SIE IHREN *HAPPY FICK* MIT EINEM MENSCHEN ODER EINER SPEZIELLEN TIERART ERLEBEN?

Tabea tippte schnell auf »Mensch«. Sodomie fand sie nach wie vor unheimlich eklig, obwohl es angeblich ein Erlebnis mit hohem Suchtfaktor sein sollte, sich von einem Ameisenbären die Muschi lecken zu lassen.

Jetzt wurde sie gebeten, die spezifischen Eigenschaften ihres fiktiven Liebhabers festzulegen, wie Haut-, Haar- und Augenfarbe, Körpermaße und Ähnliches.

WÄHLEN SIE DIE GEWÜNSCHTE PENISGRÖSSE IHRES *HAPPY-FICK*-PARTNERS, erschien danach auf dem Monitor.

Da auch in fortschrittlichen Zeiten wie diesen die Männer noch immer nicht im Stande waren, Maßangaben korrekt darzustellen, rollte auf dem Bildschirm eine Liste verschiedener phallusförmiger Lebensmittel auf, um der Kundin mittels Vergleich die Auswahl zu erleichtern. Nach der »geräucherten Salami Hausmacherart« vom letzten Mal hatte sie sich ein wenig wund gefühlt, daher entschied Tabea sich jetzt für einen mittelgroßen Flaschenkürbis.

Der Computer ermittelte nun ausführlich ihre aktuellen Vorlieben der erotischen Spielart und zeigte zum Schluss in Stichworten den von ihr gewählten Pfad der Bedürfnisbefriedigung an. Sie bestätigte die Eingabe und tippte dann auf *Happy Fick* starten.

SIE HABEN DAS PROGRAMM GESTARTET. BITTE LEGEN SIE NUN SENSORHAUBE UND VISOR AN UND NEHMEN DEN PLATZ auf der Energiewabe ein. Die Applikatordüsen werden in 2,4 Minuten aktiviert.

Als Tabeas Füße die sechseckige Vertiefung im Boden berührten, begann diese leicht zu vibrieren. Sie streifte sich die hauchdünne, elastische Haube über den Kopf und befestigte den ultraleichten Visor vor ihren Augen. An dem Kribbeln auf ihrer Kopfhaut spürte sie, wie sich blitzschnell die temporären synaptischen Kontakte zwischen ihrer Großhirnrinde und den Sensoren bildeten, welche das virtuelle Erleben so überaus real machten und gleichzeitig ein Update ihres Persönlichkeitsprofils ermöglichten. Beim ersten Happy-Fick-Besuch hatte sie sich – wie jeder Kunde hier – einem aufwändigen Gehirn-Scan unterzogen, damit ihre psychische Disposition so lückenlos wie möglich in das Programm einbezogen werden konnte.

Die Vibrationen wurden nun stärker, das Energienetz baute sich auf und brachte Tabea dabei langsam in die horizontale Position, sodass sie frei im Raum zu schweben schien. Sie liebte dieses schwerelose Gefühl und dehnte sich wie eine Katze, um ihre verkrampften Muskeln zu lockern. Mit leisem Surren schoben sich nun die Applikatordüsen aus Wänden, Fußboden und Decke, und als der Count-down-Zähler in ihrer Cyberbrille auf Null sprang, wurde Tabea von allen Seiten mit transparentem, hochviskosem Hightech-Gel eingesprüht, welches Milliarden und Abermilliarden Nano-Sensoren enthielt. Diese lagerten sich flächendeckend auf der Haut an und erfüllten zweierlei Aufgaben, indem sie einerseits für eine intensive haptische Übertragung des virtuellen Geschehens sorgten und andererseits dem Visor ein exaktes Abbild vom Körper des Kunden übermittelten. Die individuellen äußerlichen Merkmale trugen schließlich in hohem Maße dazu bei, den *Happy Fick* als reales Geschehen zu erleben – obwohl die geschäftstüchtigen Erfinder von Happy Fick standardmäßig einen Attraktivitäts-Regulator einprogrammiert hatten, sodass jeder Kunde sich stets im besten Licht sah und eventuelle körperliche Makel gerade so gemildert wurden, dass es noch glaubwürdig war …

Da das Nano-Gel selbstverständlich auch die Körperöffnungen auskleidete, begann das empfindsame Innere von Tabeas Vagina bereits angenehm zu prickeln.

In ihrem dunklen Visor blinkte es.

WIR WÜNSCHEN IHNEN EINEN *HAPPY FICK*, stand dort, und dann – endlich – startete das Programm.

O jaaa, so ein Flaschenkürbis ist wirklich wundervoll …, dachte sie und konzentrierte sich auf die wollüstigen Schauer, die ihren Unterleib durchfuhren. Der fiktive Liebhaber stimulierte sie seit geraumer Zeit ausdauernd mit der dicken, runden Kuppe seines herrlichen Schwanzes, und diese besondere Penisform erreichte Stellen in ihrer Muschel, von denen sie nicht einmal wusste, dass es sie gab.

Tabea hatte sich heute für die märchenhafte Geschichte eines keuschen Ritters entschieden, der sie auf seinem weißen Ross vor halb nackten, haarigen Barbaren rettete. Sie, züchtig anzusehen in ihrer mittelalterlichen Robe, wollte ihm zum Dank ein besonderes Geschenk machen, und nach einigen allzu verlockenden Verführungsversuchen ihrerseits, vergaß der stolze Ritter alle Keuschheitsgelübde. Ungestüm brachen seine lang unterdrückten Triebe, einer Flutwelle gleich, über Tabea herein, und in wilder Euphorie liebten sie sich im Wald auf einer lauschigen Lichtung.

Die Nano-Bots in ihrer Nase leiteten den intensiven Duft

von Laub und Gras und das männlich herbe Moschusaroma des Ritters direkt an ihr limbisches System, während die Vernetzung ihrer Mundschleimhäute dafür sorgte, dass seine Haut erregend fremd und salzig schmeckte. Ihre Augen sahen das Bild seines vor Begierde verzerrten Gesichts, und ihre Ohren waren erfüllt vom tiefen, lustvollen Stöhnen, das aus seiner Kehle drang.

All ihre Sinne flossen im Rausch ineinander, und ihr Körper auf dem unsichtbaren Netz aus Energiebahnen zuckte und wand sich ekstatisch. Tabea wollte nicht, dass es schon zu Ende ging, sie wollte die köstliche Qual noch länger auskosten, doch die starken Lenden des Ritters zwangen ihr unerbittlich seinen gleichmäßigen Rhythmus auf. Er liebte sie leidenschaftlich und hart, sodass sie nicht anders konnte, als mit ihrer heißen, willigen Scheide sein Schwert immer enger zu umschließen, es förmlich in sich hineinzusaugen. Bei jedem Stoß verrieb er die Feuchtigkeit auf ihrer Perle und reizte sie damit bis zum Äußersten. Als die dunkle Welle unaufhaltsam über ihr zusammenschlug und sie aufschrie, ließ auch er sich gehen. Gemeinsam wurden sie von einem ungeheuren Orgasmus geschüttelt.

Entspannt lagen sie nebeneinander, der Ritter hielt Tabea eng umfangen. Dann richtete er sich auf und blickte sie zärtlich an.

»Ich liebe dich«, flüsterte er.

Eine leise Easy-Listening-Melodie holte Tabea in die Realität zurück. Ernüchtert fand sie sich – wie jedes Mal – mit dem Gedanken ab, dass auch diese Liebeserklärung nichts anderes als eine Lieferung bestellter Ware war. Keine Realität. Wie immer.

Es folgte der Teil, den sie am wenigsten schätzte: die automatische Ultraschallreinigung. Auf diesem Weg wurde das Nano-Gel entfernt, jedoch verschwand natürlich gleichzeitig der schwüle Geruch nach Sex. Wenigstens diesen hätte Tabea als Andenken gerne länger mit sich herumgetragen. Das Energienetz begann sich abzubauen, und ihr Körper bewegte sich langsam zurück in die Senkrechte.

Etwas Ähnliches ging in der Nachbarkabine auch Aaron durch den Kopf. Nur trauerte dieser dem Gefühl der kunstfertig saugenden Lippen an seiner Flöte nach, das dank der Ultraschallreinigung einer geradezu klinischen Empfindung Platz gemacht hatte. Vor seinem geistigen Auge sah er allerdings noch jedes winzige Detail des erstklassigen Blow-Jobs, den er sich gerade bei *Happy Fick* gegönnt hatte. Hmmm, diese vollbusigen Cyber-Miezen konnten aber auch lutschen! Als Aaron merkte, wie sein Glied bei dieser Erinnerung erwartungsfroh zuckte, überlegte er kurz, ob er sich noch einen Nachschlag leisten sollte. Allerdings hatte er heute schon einmal verlängert, und er wollte ungern enden wie dieser Typ, von dem er neulich in der Zeitung gelesen hatte. Der musste bei *Pimperking* wohl fünf Nummern hintereinander geschoben haben und war bei der letzten einem Herzinfarkt erlegen. Die Sensoren hatten zwar sofort Alarm geschlagen, aber trotzdem kam jede Rettung zu spät. Sicherlich war es ein schöner Tod, aber Aaron zog es vor, noch ein wenig weiterzuleben. Daher stieg er in die schmalen Hosen, die seine langen Beine so gut zur Geltung brachten und keine Fragen bezüglich seiner erstklassigen Ausstattung offen ließen, und zog sich das enge Shirt mit eingebautem Bauchmuskel-Stimulator über den Kopf. Eigentlich fühlte er sich in lässigen Klamotten viel wohler, aber von seinen Kumpels hatte er den Rat bekommen, mehr aus sich zu machen, wenn er »Bräute aufreißen« wollte. Diese Bezeichnung traf allerdings nicht ganz das, was er sich erträumte, denn eigentlich hätte Aaron gern eine feste Freundin gehabt. Eine Frau zum Kuscheln, mit der man lachen und auch mal einen drauf machen konnte. Eben eine, die einfach da war, wenn man sich einsam fühlte …

»Bräute aufzureißen« war ihm außerdem viel zu anstrengend, da ging er lieber zu *Happy Fick*. Zwar musste er hier ein wenig Geld investieren, aber umgerechnet waren die »Bräute« wohl auch nicht billiger, weil sie angeblich erst mal zum Essen ausgeführt oder beschenkt werden mussten, bevor sie einen an ihre Pfläumchen ließen …

Aaron hängte sich seine kleine Kommunikator-Tasche um, setzte die unglaublich dunkle, unglaublich coole Retro-Sonnenbrille im Stil amerikanischer Cops aus dem vorletzten Jahrhundert auf und verließ im Sturmschritt die Kabine, bevor die spontane Lust auf einen *Happy Fick* mit asiatischen Zwillingsschwestern ihn zu einer Dummheit verleiten konnte.

Exakt 30 Minuten, nachdem sie ihre Tür verschlossen hatte, entriegelte Tabea diese nun wieder. Sie trat hinaus und wurde prompt von Aaron über den Haufen gerannt.

»Hoppla«, sagte er und »'tschuldigung«, während er sich etwas beschämt die Sonnenbrille von der Nase nestelte, was ihn sehr nett und ein bisschen verwirrt aussehen ließ.

Tabea, die sich eigentlich unwirsch an ihm vorbeidrängen wollte, hielt mitten in der Bewegung inne und besah sich den süßen Typ vor ihr genauer. Sie verliebte sich auf der

Stelle in seine verschmitzten braunen Augen und begann hingerissen damit, die Sommersprossen auf seiner Nase zu zählen.

Auch Aaron war wie vom Blitz getroffen, als er Tabea näher unter die Lupe nahm. Das hier war keine »Braut«, das war eine interessante, begehrenswerte Frau mit Klasse.

»Hallo, ich bin Tabea«, sagte da das wunderbare Geschöpf, und dies war der Beginn einer Liebesgeschichte wie aus dem Bilderbuch.

Die beiden gingen gemeinsam einen Kaffee trinken und unterhielten sich ungewöhnlich gut. Dann verabredeten sie sich für den nächsten Abend zum Essen, und auch dabei hatten sie sich viel zu erzählen. Ebenso am nächsten und am übernächsten Abend. Sie waren einfach auf der gleichen Wellenlänge. Er hörte zu, wenn sie etwas erzählte, sie lachte über seine Witze, und die physische Anziehungskraft zwischen ihnen war geradezu magnetisch.

Keiner von beiden hatte seit dem Tag ihres Kennenlernens mehr ein *Happy-Fick*-Studio aufgesucht. Aaron wollte seine kostbaren Säfte nicht an einen anonymen, virtuellen Saugnapf vergeuden und konnte es kaum erwarten, bis er mit Tabea, seiner aufregenden, *wirklichen* Freundin, endlich richtigen, echten, schmutzigen, schwitzigen Sex machen konnte.

Tabea erinnerte sich nicht, jemals so viel Lust auf einen Mann aus Fleisch und Blut gehabt zu haben. All ihre Zweifel bezüglich realer zwischengeschlechtlicher Kohabitation hatten sich in Luft aufgelöst. Wenn Aaron sie küsste – und er küsste so verdammt gut! –, dann spürte sie, wie sich zwischen ihren Beinen die Hitze sammelte und ihr das

Höschen feucht wurde. Wer brauchte da noch *Happy Fick?!*

Wenig später, als sie schon so heiß aufeinander waren, dass ein Hochofen neben ihnen wie eine Gefrierkombination gewirkt hätte, lud Aaron sie zu sich nach Hause ein, und es sollte endlich zur Sache gehen. Er war sehr stolz auf sein Junggesellen-Apartment, das – total hip – in einem umgebauten Parkhaus lag. Diese altertümlichen Betonburgen waren heiß begehrt, seit man vor einigen Jahren das Auto im Rahmen des überarbeiteten Atmosphärenschutzabkommens als überholtes Fortbewegungsmittel endgültig abgeschafft hatte. Erst wurden in den leeren Parkhäusern sensationelle, illegale Partys gefeiert, und dann kamen clevere Baufirmen auf die Idee, die weitläufigen Gebäude in private Wohnabteile umzuwandeln.

Aaron hatte extra aufgeräumt, eine Flasche teuren Energy-Champagner kaltgestellt und einige der guten Kerzen angezündet, die beim Abbrennen leise Klaviermusik intonierten. Unter dem Kopfkissen warteten außerdem mehrere selbstdenkende Kondome aus feinstem Bio-Latex auf ihren Einsatz. Diese althergebrachte Methode der Krankheits- und Empfängnisverhütung war leider unverzichtbar, doch im Vergleich zu ihren Vorfahren hatten die Männer aus Aarons Generation es wirklich gut. Die modernen Präservative waren so konzipiert, dass man die Packung nur öffnen und sich das Ding auf die Schwanzspitze legen musste. Den Rest erledigte das Kondom von selbst, sodass jedes lästige, gefühlsfeindliche Gefummel mit dem Reservoir entfiel. Ohne den Blutfluss abzuschnüren, schmiegte sich der denkende Bio-Latex von selbst um den Penis, so dünn, dass man ihn überhaupt nicht spürte. Egal wie groß oder auch klein der Schwengel war: diese Kondome passten immer.

Aaron hatte erhebliche Schwierigkeiten, in seinem Schritt für Ruhe zu sorgen, als er an den Moment dachte, in dem er so ein Ding auspacken würde …

Tabea verbrachte den Tag fast ausschließlich im Badezimmer sowie vor ihrem Bildschirm für virtuelle Bekleidungswahl, um sich angemessen auf die erste Liebesnacht mit Aaron vorzubereiten. Und erst als rund um ihre Muschi kein einziges Schamhaar mehr zu finden war, sie jeden Millimeter ihrer Haut gebadet, gesalbt und geölt hatte und ihr das Haar duftig ins Gesicht fiel, war sie zufrieden. Zu ihrem ultrakurzen Lieblingskleid trug sie aufregende 15-cm-Plexiglasabsätze an den nackten Füßen und als Dessous einen nagelneuen Hightech-Body, in dem sie sich ungeheuer sexy fand. Das extratief ausgeschnittene Teil war – irre verrucht – im Schritt offen und glänzte in elegantem Nachtschwarz. *Noch!* Der Clou war nämlich, dass der Stoff die Farbe wechselte, sobald ihre Körpertemperatur stieg. Prompt kam Tabeas Herz aus dem Takt, als sie sich im Geiste auf dem nackten Aaron sitzen sah, sein hartes Geschlecht tief in sich versenkt, und der Body wurde von ihrer Muschi an aufwärts langsam feuerwehrrot. Um diese Überraschung nicht zu vermasseln, zwang Tabea sich, auf dem Weg zu Aaron nur an unglaublich unerotische Sachen zu denken, wie zum Beispiel die abgepulten Zehennägel ihres Chefs auf seinem Schreibtisch.

Aaron begrüßte sie mit einem Kuss, bei dem ihr die Knie weich wurden, obwohl er nach Dentaldesinfektion schmeckte. Dann reichte er ihr ein langstieliges, schmales

Glas mit fluoreszierendem Energy-Champagner und sah ihr tief in die Augen. Sie stießen an, nahmen einen Schluck, und Tabea hibbelte nervös in der kleinen Wohnzelle herum. Auf einmal war sie wieder sehr unsicher.

»Tabea …«, raunte er und strich ihr das Haar aus dem Gesicht. Dann küsste er sie erneut. Jetzt schmeckte seine Zunge nach Dentaldesinfektion *und* Energy-Champagner.

Aaron streichelte ihren Hals, und Tabea entspannte sich langsam. Ihre Hände krabbelten über seinen Rücken, landeten auf seinem festen Po und krallten sich dort fest. Aaron schob ihr animiert das Knie zwischen die Schenkel. Während seine Küsse immer wilder wurden, zerrte er Tabea das Kleid über den Kopf und … starrte perplex auf ihren Busen. An der Stelle, wo vermutlich die Brustwarzen saßen, breiteten sich zwei knallrote Kreise über den Stoff aus, und auch aus ihrem Schritt kroch eine seltsame rote Färbung langsam hoch zu ihrem Bauch.

Aaron tarnte seine Verblüffung mit einem, wie er hoffte, begeisterten Seufzer und befreite die Brüste kurzerhand aus dem bizarren Dessous, damit er sich ihnen gebührend widmen konnte. Als seine Hände jedoch tiefer, genauer gesagt zwischen ihre Schenkel rutschten, traf ihn fast der Schlag: Seine Finger griffen ohne Vorwarnung geradewegs in Tabeas nackte Möse. Bei *Happy Fick* hätte er das scharf genug gefunden, um sofort abzuspritzen, aber dass seine Prinzessin leibhaftig ein so nuttiges Kleidungsstück trug, musste er erst verdauen. Aus dem mittlerweile signalroten Schlitz im Schritt des Bodys quoll ihm Tabeas Allerheiligstes buchstäblich entgegen, und das war – so unvermittelt und in Natura – doch etwas viel für Aaron. Sein Schwanz, eben noch ein Riesenhammer, schrumpfte still und leise in sich zusammen.

Tabea, der seine Ablehnung natürlich nicht entging, fragte sich erschrocken, was sie falsch gemacht haben könnte. »Er … er wird rot, wenn … wenn mir warm ist …«, murmelte sie dann verunsichert.

Aaron wollte sich am liebsten in den Arsch beißen. Was Tabea hier tat, das tat sie schließlich ihm zuliebe. Ihre erste gemeinsame Nacht sollte ein Knaller werden, und genau wie ihm mangelte es ihr einfach an echter Erfahrung.

Um die peinliche Situation zu überspielen, trug er sie zu seinem temperierten Luftbett. Es war viel bequemer als die altmodischen Wasserbetten, und er hatte die Matratze so üppig mit dem erforderlichen Luftgemisch befüllt, dass sie schön prall war. *Dann stößt es sich härter*, hatte sein bester Freund gesagt und ihm gönnerhaft auf die Schulter geklopft.

Um ihre Hormone wieder zu enttraumatisieren, dachte Tabea ein bisschen an den liebestollen Ritter von *Happy Fick*, obwohl sie sich dabei ziemlich schuldig fühlte.

Aaron nuckelte genüsslich an ihren Nippeln, freute sich, als diese sich regten, und konnte bald erneut einen beachtlichen Ständer vorweisen.

Leider schafften sie es trotzdem nicht, ihre Aktivitäten so außergewöhnlich, hemmungslos und multiorgastisch zu gestalten, wie sie es sich erhofft hatten. Tabea war ungefähr eine Million Lichtjahre davon entfernt, sich fallen zu lassen, und fand das ganze Ereignis allenfalls mäßig stimulierend. Dabei versuchte sie jedoch, Aaron eine beispiellose Erotik-Show zu liefern, um in seinen Augen nicht an Reiz zu verlieren.

Aaron hingegen musste feststellen, dass er seine Erektion auf Dauer nicht mal so hart wie sein Luftbett erhalten konnte. Er war einfach nicht richtig geil. Um Tabea abzulenken, gab er lustvolle Geräusche von sich, die jedoch klangen, als würde er sich ins Bein sägen.

Er würde sie einfach von hinten vögeln, *genau*, dann konnte er sich währenddessen mit einer kleinen *Happy-Fick*-Phantasie anspornen. So hatte er sich sein erstes Mal mit Tabea zwar nicht vorgestellt, aber nun musste er es eben erst mal zu Ende bringen – wie auch immer. Gut geeignet schien ihm der *Happy Fick*, bei dem er nacheinander von 23 blutjungen, bildschönen, splitterfasernackten Hulamädchen zugeritten wurde ... Er schob sich über die wild stöhnende Tabea und drehte sie auf den Bauch. *Eine kaffeebraune Schönheit nach der anderen ließ sich juchzend von ihm pfählen ...*

Aaron brachte seine nun erwartungsfroh zuckende Rute vor Tabeas Schlitz in Position und wollte gerade eines der selbstdenkenden Kondome in Aktion treten lassen, als der halb um ihre Taille geknüllte Body die heißen Hulamädchen aus seinem Bewusstsein verdrängte: Der Stoff war mittlerweile durchgehend von aufschlussreicher, eisig blauer Farbe.

Sehr *unentspannt* lagen sie nebeneinander.

Tabea schämte sich in Grund und Boden. Was für eine Katastrophe!!! Und dieses verdammte Dessous hatte sie verraten. Es war nie die Rede davon gewesen, dass das Ding nicht nur auf Hitze, sondern gleichermaßen auf einen *Rückgang* der Körpertemperatur reagierte! Zu allem Übel hatte sie sich auch noch aufgeführt, als überwältige sie ein Superorgasmus nach dem anderen. Und sie erregte ihn nicht mal ... O Gott, war das peinlich!

Aaron starrte vor sich hin. Er war ein Schlappschwanz. Da lag er endlich mit dieser rattenscharfen Frau im Bett, mit der er – wahrhaftig und in Farbe – *alles* hätte anstellen können, und was passierte? Er gab die Nullnummer! Denn natürlich war der Hänger seine Schuld, und auch, dass sie ihm was vorspielen musste. Er hatte es ja nicht mal geschafft, sich selbst in Fahrt zu bringen, warum sollte *sie* dann spitz auf ihn sein?

Ich war einfach nervös und unvorbereitet, überlegte er, beim nächsten Mal passiert mir das nicht …

Beim nächsten Mal ziehe ich nicht so eine lächerliche Show ab, dachte Tabea, das hat er nicht verdient!

So versicherten sie sich gegenseitig, aller Anfang sei schwer, lachten verlegen und gaben sich einen lauwarmen Kuss. Plötzlich schien sich eine seltsame Distanz zwischen ihnen auszubreiten, die unbedingt vertuscht werden musste …

Unglücklicherweise stellte sich sehr bald heraus, dass auch all ihre folgenden Bemühungen, Sex miteinander zu haben, nicht von Erfolg gekrönt waren. Genau genommen hangelten sie sich im Lauf der Monate durch so viele lustlose Versuche, dass sogar die selbstdenkenden Kondome anfingen, sich zu langweilen. Langsam, aber sicher begann ihre Beziehung unter der Situation zu leiden.

Aaron war ausgesprochen schlecht gelaunt und ziemlich reizbar. Ihm stand der Saft bis zum Hals! Noch immer wollte er es mehr als alles auf der Welt endlich mit seiner Tabea treiben, denn theoretisch fand er sie total sexy. Wenn es jedoch so weit war, verging ihm jedes Mal schlagartig die Lust, und dagegen half auch keine *Erection-Wonderland*-Pille. Dabei waren die *Erection-Wonderland*-Pillen der neue Megaseller der Pharmabranche, denn dieses innovative Potenzmittel ermöglichte eine gänzlich frei wählbare Erektionsgröße. Wie gern hätte er dieses Problem in den Griff gekriegt, aber irgendwie war ihm das alles viel zu … körperlich!

Tabeas Gefühle ließen sich am besten als Verzweiflung beschreiben. Sie war mit ihrem Latein am Ende. Vor einigen Wochen hatte sie begonnen, selbst Hand an sich zu legen, was sie natürlich seit ihrer Adoleszenz nicht mehr getan hatte. Beschämt beseitigte sie jedes Mal hinterher die Spuren mit ihrem *Desinfektor 7000* und schwor sich, es nie wieder zu tun. Aber was blieb ihr sonst? Sie war so unbefriedigt, dass sie ständig feucht war (ihre selbstreinigenden Höschen kamen kaum hinterher!), doch im Bett klappte es mit Aaron überhaupt nicht. Er war definitiv ihr Märchenprinz, aber er erregte sie einfach nicht … Wobei – die Wahrheit sah eigentlich ganz anders aus, denn im Grunde wollte sie nach wie vor *unbedingt* Sex mit ihm haben. Sobald es dann aber zur Sache ging, kam sie einfach nicht damit klar, dass es sich so unheimlich … real anfühlte!

Früher war alles viel einfacher gewesen. Purer, sauberer Sex, unbeschreiblich erregend und außerordentlich befriedigend …

Eines Abends, es war bereits dunkel und Aaron mit seinen Jungs verabredet, kapitulierte Tabea. Sie kippte sozusagen auf ganzer Länge um – und all ihre tapferen Vorsätze gleich mit. Die verlockenden Erinnerungen waren in ihren Schoß gesickert wie klebrig süßer *Cosmic-Vanilla-Peach-Pudding*, ihre Nippel wurden hart wie *Crispy-Chocolat-Chips*, und sie konnte nicht anders, als in einem der herrlichen *Happy-Fick*-Orgasmen die Lösung all ihrer Probleme zu sehen.

Im schwarzen Ganzkörper-Catsuit mit integrierter Kapuze, die ihr blondes Haar verbarg, und perfekt getarnt hinter der überdimensionalsten aller Sonnenbrillen, saß Tabea kurz darauf in einem anonymen öffentlichen Flug-Shuttle, um unerkannt zu einer *Happy-Fick*-Filiale in einem weit entfernten Stadtteil zu gelangen. Aaron durfte keinesfalls von ihrem gemeinen Betrug erfahren, denn das würde er ihr niemals verzeihen. Ganz zu schweigen von seiner männlichen Ehre, die diesen Schlag vermutlich nicht verkraften würde. Mochten die Zeiten noch so fortschrittlich sein, manche Dinge änderten sich eben nie …

Ziemlich nervös, aber auch mit erwartungsfrohem Kribbeln im Schritt, betrat Tabea das schummerig beleuchtete *Happy-Fick*-Studio. Der Raum war lang und schmal, vom Eingang aus führten Gänge mit Kabinen nach rechts und links. Sie achtete nicht auf die Plasmabildschirme an den Wänden, welche die neuesten Angebote von *Happy Fick* verkündeten, sondern wandte sich nach links und ließ den Blick gezielt über die Minutenzähler an den einzelnen Türen wandern. Die Kabinen waren alle belegt. Vor der letzten stand ein Mann im langen Mantel, der einen sehr hässlichen, völlig unmodernen Hut tief in die Stirn gezogen hatte und soeben bezahlen wollte. Offenbar konnte er es kaum abwarten, denn er rieb mit seinem Daumen hektisch auf dem *Pay-per-Thumb*-Scanner-Feld herum.

Tabea sah, wie der Typ immer nervöser wurde, doch das System gab ihm hartnäckig eine Fehlermeldung nach der anderen.

»Sie sind zu schnell für den Computer«, erklärte sie ihm hilfsbereit. »Sie müssen abbrechen und einfach noch mal von vorne anfangen!«

Die Hand des Mannes schwebte einen Moment reglos in der Luft, dann drehte er sich ruckartig um und starrte sie unter seiner lächerlichen Hutkrempe hervor fassungslos an.

»Tabea?!«

»Aaron!!!«

Die unflätigen Beleidigungen, welche im Verlauf der nun folgenden Minuten zwischen den beiden hin und her gingen, sowie die unschönen Worte, die sie sich während dieses noch viel unschöneren Streits entgegenschleuderten, drehten sich in der Hauptsache um Vertrauensbruch, Verrat, Betrug, ungenügende Penisgrößen, gentechnisch programmierte Haarfarben, enttäuschte Erwartungen, fehlgeleitete Triebsteuerung und so weiter und so fort.

Aaron und Tabea stritten sich so angeregt, dass ihnen das betagte Ehepaar völlig entging, welches wenige Türen weiter aus einer der Kabinen trat. Zusammengenommen waren die beiden sicherlich über 160 Jahre alt, sahen aber aus wie das blühende Leben. Neugierig blieben sie stehen, hörten ein bisschen zu und schüttelten die Köpfe. Ein klein wenig tatterig kamen sie dann auf die Streitenden zu, um diese lächelnd anzusprechen.

»Bitte entschuldigen Sie, wir möchten nicht stören … « unterbrach die zarte alte Dame Tabeas phantasievolle Schimpftiraden, »aber wir haben ihre … Diskussion mit angehört.«

»Warum verschwenden Sie Ihre Zeit mit einem so dummen Streit! Kennen Sie denn noch nicht das sagenhafte neue *Honeymoon-Special* von *Happy Fick*?«, warf da der reizende alte Herr ein und wies gleichzeitig auf die zahllosen Flachbildschirme, die gerade samt und sonders Impressionen glücklicher, befriedigter Paare sowie den Slogan *Frust im Ehebett? Mit dem Honeymoon-Special zu zweit endlich »Happy Ficken«!* zeigten.

Aaron und Tabea blieben die Münder offen stehen. Das silberhaarige Paar strahlte sie glücklich an und hatte dabei verdächtig rosige Bäckchen. Hatten die etwa … In diesem Alter … Gemeinsam …???

»Wir waren ja erst skeptisch, weil … Sex gab's bei uns beiden schon seit über zwanzig Jahren nicht mehr, aber als wir den *Happy-Fick*-Gutschein zur Goldenen Hochzeit geschenkt bekommen haben, sind wir doch neugierig geworden. Ja, und das *Honeymoon-Special* macht man eben zusammen, man kann seine Wünsche vorher genau angeben oder einen Überraschungs-*Happy-Fick* versuchen. Dabei sind uns schon dolle Sachen passiert, so beim … Nicht wahr, Liebchen?!« Der nette Opa hatte sich richtig in Begeisterung geredet.

Die Wangen seiner Frau wurden noch zwei Schattierungen rosiger. »Ja, das ist wahr, so viel Spaß haben wir jetzt miteinander! Ihr zwei habt wirklich Glück«, wandte sie sich an ihr Gegenüber. »Als *wir* jung waren, gab es noch kein *Happy Fick*. Was uns da entgangen ist …«

»Aber das holen wir jetzt alles nach, Liebchen!«

Aaron und Tabea beobachteten sprachlos, wie der alte Mann seinem »Liebchen« herzhaft auf den Hintern klopfte. Er grinste die beiden an und raunte: »Letzten Monat ist unsere Lebensversicherung ausbezahlt worden, wir haben das Geld sofort in ein lebenslanges *Happy-Fick*-Abo umgesetzt. Das war die beste Investition, die wir je gemacht haben!«

Die beiden spazierten langsam Hand in Hand auf den Eingang zu. Da drehte die alte Dame sich noch mal zu Tabea um und zwinkerte ihr zu: »Sie müssen unbedingt mal einen Ameisenbären mitspielen lassen, Kindchen, das ist ein sehr stimulierendes Tier … Für Sie beide!«

Sekundenlang standen sie einfach nur da, in fassungslosem Schweigen. Aus den Lautsprechern der Monitore drang leise das harmonisch-gemeinschaftliche, orgastische Stöhnen der Honeymoon-Werbepärchen zu ihnen herüber.

»Vielleicht …«, begann Tabea.

»Wir könnten doch …«, sagte Aaron gleichzeitig.

Dann schauten sie sich an, und langsam überzog ein strahlendes Lächeln ihre hoffnungsvollen Gesichter. Ihr Problem war gelöst. Es gab keinen Grund mehr für Lügen oder Betrug, es gab keinen Grund mehr für diesen Streit.

Aaron zog sie begehrlich an sich. »Lust auf einen *Happy Fick?*«, fragte er mit rauer Stimme.

Sie entschieden sich für *Happy Fick* Individual. *Happy Fick* Surprise kam nicht in Frage, denn sie waren so ausgehungert, dass sie jede schamlose Einzelheit ihres ersten gemeinsamen *Happy Ficks* genau bestimmen wollten. Außerdem gestaltete sich dadurch bereits die Menüführung zu einem exzellenten Vorspiel, bei welchem sie sich gegenseitig mit ihren erotischen Vorlieben vertraut machen konnten.

Die Kabinen waren aufwändig umgebaut worden, sodass nun bei Bedarf zwei Energiewaben nebeneinander zur Verfügung standen. Als Aaron und Tabea sich, nackt bis auf Visor und Haube, darauf stellten, wurde jeder für sich in die vertraute horizontale, schwebende Position gebracht. Es folgte das Update der Persönlichkeitsprofile, welche dann vorübergehend miteinander vernetzt wurden, was sich *echt abgefahren* anfühlte. Sobald ihre Körper vollständig mit dem Nano-Gel überzogen waren, sandte der Computer seine unvorstellbaren Datenmassen in Lichtgeschwindigkeit zwischen den beiden hin und her, und Aaron entfuhr eine obszöne Bemerkung, als er die wunderschöne Tabea durch das bestellte Schlüsselloch plötzlich nackt und nass vor sich stehen sah. Das Wasser rieselte durch ihr feuchtes Haar, tropfte von den provozierenden Brüsten und sickerte in den dunklen, üppigen Busch.

Tabea genoss den heißen Massagestrahl der luxuriösen Dusche und begann sich einzuseifen. Mit beiden Händen verteilte sie den seidigen Schaum auf ihrer Haut, verrieb ihn gedankenverloren zwischen den Beinen und war ganz versunken in ihr lustvolles Tun, als ein Geräusch sie aufschrecken ließ. Sie drehte das Wasser ab. »Wer ist da?«, rief sie und lauschte aufmerksam.

Aaron, förmlich am Schlüsselloch klebend, hatte das Gleichgewicht verloren und war polternd gegen die Tür gekippt.

»Ich weiß, dass Sie da sind, kommen Sie sofort herein!«

Er war ertappt. Wenn er jetzt abhaute, brauchte sie nur den Sicherheitsdienst mit der Sichtung des Materials ihrer Überwachungskameras zu beauftragen, und Aaron wäre sofort seinen Job los. Blieb nur die Flucht nach vorn. Zögernd öffnete er die Tür und betrat das dunstig schwüle Badezimmer, krampfhaft bemüht, mit seiner Hotelpagenmütze die Riesenbeule in seiner Hotelpagenhose zu verdecken.

»Komm näher!« Tabea starrte ihn mit unergründlichem Gesichtsausdruck an. »Zeig mir, was du da versteckst!«, herrschte sie ihn an.

Aaron ließ zögernd die Mütze sinken. Die nackte Frau schüttelte den Kopf, ohne ihn aus den Augen zu lassen. »Ich sagte, du sollst es mir *zeigen!*«

Durch den feuchten Nebel beobachtete Tabea, wie der neugierige Hotelangestellte langsam seinen Latz aufknöpfte.

Er trug keine Unterwäsche, registrierte sie, als sein kräftiger, steifer Hotelpagenpimmel unvermittelt aus der beengenden Hose schnellte. Sie leckte sich genüsslich die Lippen und drehte die Dusche wieder auf.

Als Aaron dann in voller Montur mit ihr unter dem prasselnden Wasserstrahl stand, war er bereits so erregt wie selten. Die Frau presste sich mit ihrem nackten, weichen Körper an ihn und massierte seinen Dicken mit ihrer glitschigen Hand.

Tabea ritt den Oberschenkel des begierigen Besuchers, reizte das empfindliche Fleisch ihrer Muschel immer weiter am nassen, rauen Stoff seiner Hose. Ihre Brustwarzen rieben sich an der Uniformjacke, und genüsslich seifte sie seinen prächtigen Ständer ein.

Sein heftiger Atem vereinte sich mit ihrem wollüstigen Stöhnen, sie waren bereit …

Kurz, es wurde der *Happy Fick* des Jahrhunderts.

Sehr entspannt lagen sie später auf Tabeas frei schwingendem Himmelbett nebeneinander, und Aaron hielt sie eng umfangen. Gerade hatten sie, genüsslich ein Sauerstoffpfeifchen mit Ginsengaroma schmauchend, ihren ersten gemeinsamen *Happy Fick* vor dem geistigen Auge Revue passieren lassen, waren noch ganz satt und schwer von der ungeheuren sexuellen Ekstase.

Da richtete Aaron sich auf und blickte sie zärtlich an.

»Ich liebe dich«, flüsterte er.

Tabea lächelte.

Lieblingsblau

Friedlich schwappt das badewannenwarme Meer ans seichte Ufer. Ich laufe durch den heißen Sand, genieße das Brennen der südlichen Sonne und bewundere, wie so oft, den glasklaren, leuchtend blauen Himmel hoch über den silbrig grün bewachsenen Dünen. Nirgendwo sonst ist er so schön blau wie hier, der Himmel. Finde ich jedenfalls. *Lieblingsblau …*

Die Luft ist geschwängert von den Ausdünstungen sonnengerösteter Leiber, dem Duft verschwenderisch aufgetragener Lichtschutzfaktoren und dem leicht modrigen Aroma von Salz und Seetang. Eine laue Brise fächelt gar köstliche Seeluft über den gut besuchten Strand und macht die affenartige Hitze erträglich.

Ich wandere im feuchten Sand am Wasser entlang, damit ich mir nicht die Füße verbrenne. Ein nacktes Pärchen mittleren Alters liegt dort und lässt sich von den sanften Wellen umspielen. Sie sind beide üppig intim gepierct, er trägt sogar einen »Prinz Willem«, der lustig funkelnd das Sonnenlicht reflektiert. Ich mache einen Bogen um die beiden, nicht ohne zwischen die Beine der Frau zu schielen, wo mehrere Schmuckringe das zarte Fleisch durchbohren. Brrr, nichts für mich, ein kurzer Schauer läuft mir das Rückgrat hinunter und stellt mir in wohligem Gruseln die Brustwarzen auf.

Ja, hier lassen viele Leute sogar die letzten Hüllen fallen, deshalb gibt es einiges zu sehen. Ein echtes Spanner-Paradies. *Mein* Interesse gilt dabei nicht nur den abwechslungsreichen Formen, Farben und Abmessungen männlicher Genitalien, nein, denn das Betrachten der dazugehörigen Kehrseiten ist voyeuristisch ebenfalls ein Hit! Von den anatomischen Unterschieden der weiblichen Spaßzone ganz zu schweigen ... Man lernt schließlich nie aus.

Je nach persönlicher Vorliebe kann man auch die eine oder andere Anregung zum Thema Intimfrisur finden. Obwohl der natürliche Wildwuchs sich bei einer breiten Masse nach wie vor größter Beliebtheit zu erfreuen scheint, sprießt in manch anderem Schoß kein einziges Haar mehr. Intimglatze sozusagen. Noch häufiger zu sehen ist allerdings die klassische »Model-Frisur«: Ein schmaler, gestutzter, senkrechter Streifen Schamhaar, den mittlerweile auch die »Durchschnittsfrau« gerne auf ihrem Venushügel stehen lässt wie ein letztes Alibi des Anstands. Das männliche Pendant dazu ist übrigens waagrecht, was dann aussieht wie ein Penis mit Hitlerbärtchen ...

Als ich meine Urlaube hier noch gemeinsam mit meinem Exfreund verbrachte, begeisterte der sich verständlicherweise besonders für den Anblick all der leckeren Brüste ringsum. So viele verschiedene Varianten und Körbchengrößen, sich mehr oder minder der Schwerkraft unterwerfend, findet Mann sonst selten zur öffentlichen Besichtigung freigegeben. Ich erinnere mich in diesem Zusammenhang allerdings nur ungern daran, wie eine barbusige, sehr zeigefreudige Bekannte uns einmal stolz ihre nagelneuen Silikontitten vorführte. Sie packte enthusiastisch seine Hand und ließ ihn zugreifen, damit er ihr bestätigen konnte, wie *totaaal* echt die sich anfühlten ...

Dort drüben im Sand sitzt der nette alte Hippie, der gebatikte Hosen zum Verkauf anbietet. Unter seinem langen, sonnengesträhnten blonden Haar hervor lächelt er mir freundlich zu. Das leidenschaftliche Paar, das sich dicht neben ihm gegenseitig die Mandeln leckt, kann ihn nicht aus der Ruhe bringen. Mich schon. Der bronzebraune, jugendliche Adonis hat nämlich unter seiner feuchten, weißen Badehose einen strammen Ständer, der keinerlei Fragen offen lässt.

Kurz, alles ist wie immer. Braun gebrannte Stromlinien hier, käsiges Wellfleisch dort und, soweit das Auge reicht, jede nur erdenkliche Erscheinungsform dazwischen. Zwar ist dieser Ort schon lange kein Geheimtipp mehr, aber neben fröhlichen, Sangria schlürfenden Pauschaltouristen bleibt rund um die einfache Strandbar, auf die ich zusteuere, die Dichte an szeneerprobten, coolen Sonnenanbetern besonders hoch. Obwohl sie fast oder vollständig nackt sind, wirken die meisten dieser Leute sehr attraktiv. Wobei sie das nicht unbedingt körperlichen Attributen oder stilistischem Beiwerk zu verdanken haben, sondern vielmehr der unerschütterlichen Überzeugung, etwas Besonderes zu sein.

Umwabert von den neuesten elektronischen Klängen aus überdimensionalen Lautsprecherboxen, tummeln sich hier jedenfalls ungewöhnlich viele interessante Menschen. Einigen von ihnen sieht man dabei an, dass sie sich den lästigen Umweg nächtlicher Horizontalentspannung offensichtlich gespart haben. Wozu auch schlafen, wenn einem doch mehr oder weniger chemische und dabei ziemlich illegale Freudenspender prima dabei helfen können, keine Sekunde dieser weltberühmten 24/7-Party zu verpassen …

Der schwerreiche deutsche Star-DJ dort drüben hat zum

Beispiel gerade eben noch die After-Hour in einem der angesagtesten Clubs bestritten. Jetzt sitzt er hier, in seiner ganzen schweißüberströmten, wohlgenährten Pracht, unter einem palmwedelgedeckten Sonnenschirm und schürzt beim Anblick junger, schlanker, rassiger Frauen lüstern die feisten Fischlippen. Auch *seinen* wachsbleichen, großzügig tätowierten Körper bedeckt kein textiles Fädchen – ein Anblick, auf den ich lieber verzichtet hätte –, aber Gott sei Dank ist er so fett, dass das ultimative Grauen komplett von seiner wabbeligen Wampe verdeckt wird …

Die Gruppe junger Italiener, einige Liegen weiter, erweckt dagegen den Anschein, als komme sie direkt von der Beautyfarm. Jungs wie Mädels tragen eine appetitlich gebräunte Haut aus Samt zu Markte, haben seidiges Haar und sehen knusprig aus wie frisch gebackenes Brot – das Ganze natürlich verpackt in ultramoderne Bademode von Dolce & Gabbana. Sie liegen lässig kreuz und quer übereinander, teilen sich einen dicken Joint, quasseln angeregt und behalten durch ihre schicken Designer-Sonnenbrillen alles genau im Blick. Bloß nichts und niemanden verpassen, dazu ist man schließlich hier …

Mir steht heute der Sinn aber nicht nach Bussi rechts, Bussi links, nicht nach Posing oder Partystimmung. Ich bin wirklich, richtig, echt urlaubsreif und schlage mich deshalb ganz allein in die Dünen.

Unten am Strand tobt das Leben, aber hier betritt man eine komplett andere Welt, ruhig und geradezu einsam. Das ganze Gebiet steht unter Naturschutz, und die Dünen ziehen sich kilometerweit die Küste entlang. Dichter Strandwacholder und hohe, duftende Rosmarinbüsche bilden unzählige lauschige Nischen, die kaum einsehbar sind, solange man nicht beinahe drinsteht. Eine solche suche ich mir aus, um mein großes, bunt gemustertes Strandtuch auszubreiten.

Runter mit den Klamotten, mein Körper soll Luft und Licht tanken. Nichts als das klimpernde indische Fußkettchen aus Silber lasse ich an. Die kleinen, kugelförmigen Glöckchen klingeln leise, als ich mich wohlig ausstrecke, es mir auf meinem Lager gemütlich mache und mich dann mit reichlich Sonnenöl einreibe (jaaa, ich weiß, das ist unvernünftig, aber UV-mäßig muss unsereins schließlich mitnehmen, was geht).

Jede meiner Poren saugt sich sofort mit Sonnenlicht voll, und mir ist schleierhaft, wie ich es schon wieder monatelang *ohne* ausgehalten habe. Wenn ich jetzt noch leicht den Kopf wende, um mir mein Lieblingsblau anzusehen, werde ich so glücklich, dass ich heulen könnte.

Meine Haut heizt sich mehr und mehr auf. Die Muskeln darunter lockern sich. Ich werde immer entspannter, immer träger. Meine Gedanken lösen sich vom Alltag, sie verlieren an Kontur, verdunsten ins grenzenlose Blau … Endlich, endlich Urlaub!

Wenn man hier in den Dünen spazieren geht, darf man sich über nichts wundern. Normalerweise säumen benutzte Kondome in allen Regenbogenfarben den Weg. Oder es wehen einem plötzlich moschusgetränkte Körperdüfte um die Nase, und man stolpert unvermittelt über zwei sich heftig sexuell betätigende Menschen, die mit ihren Brunftschreien sogar das sonore Meeresrauschen übertönen. Derlei offenkundige Zeugnisse menschlicher Fleischeslust mehren sich zudem, je tiefer man in die Dünen vordringt, denn dort beginnt sozusagen schwules Territorium, und die Jungs gehen ja bekanntlich weit weniger zimperlich mit ihrer Sexualität um als die meisten von uns armen Heteros, Ferien hin oder her.

Komisch, ich selbst habe es noch nie in den Dünen getrieben. Weiß eigentlich gar nicht, warum. Besonders weil nackte Sonnenbäder mich *immer* scharf machen …

Es geht auch schon los. Die Sonne weiß ganz genau, wo sie mit ihren heißen Fingern hinkrabbeln muss, um gewisse Gefühle in mir zu wecken. Weil ich mich sowieso nicht wehren kann – und will –, öffne ich ihr ergeben meine Schenkel.

Der geheimnisvolle Anblick gepiercter Geschlechtsteile zieht an meinem geistigen Auge vorüber. Wie ein Stromschlag durchzuckt es mich erneut bei der Vorstellung, jemand würde ein Loch durch meine Klitoris schießen, als wäre sie ein Ohrläppchen. Nein, das ist einfach keine Phantasie für mich. Die Erinnerung an die harte Beule in der weißen Badehose gefällt mir da doch viel besser, und ich überlege, wie lange das angespitzte Pärchen sein Vorspiel unten am Strand wohl noch durchhält. Vielleicht sind die beiden auch einfach mutiger als ich und bringen es in den Dünen zu Ende.

Ja, genau: Das Mädchen zieht den Jungen mit sich in ein Versteck zwischen Strandwacholder und Rosmarin. Dort breiten sie hastig ihr Badelaken aus und fallen gierig wieder über einander her. In meinem Kopf lasse ich die zwei in rascher Folge diverse kamasutrataugliche Liebesstellungen durchturnen, finde dann aber das Drehbuch meines Tagtraumes etwas dürftig. Da ist noch mehr drin. Zum Beispiel … könnte ich die beiden erwischen!

Ich sehe mich also langsam durch die Dünen spazieren,

das Strandtuch nachlässig um die Hüfte geschlungen. Da höre ich etwas. Lauschend hebe ich den Kopf. Stöhnen und Keuchen. Ich folge den eindeutigen Geräuschen, setze jeden meiner Schritte ganz behutsam, damit das Fußkettchen mich nicht verrät.

Dann kann ich sie sehen. Um nicht entdeckt zu werden, verberge ich mich hinter einem ausladenden Busch, durch dessen Zweige hindurch ich das Paar im Blick habe. Beide sind nackt. Er sitzt aufrecht, und sie reitet ihn, von seinen Lenden geschaukelt. Immer wieder küssen sie sich, lösen ihre Zungen nur voneinander, um nicht an ihren wollüstigen Seufzern zu ersticken. Ich verharre bewegungslos, wage kaum zu atmen und beobachte sie. Meine Erregung steigt.

In Gedanken erlaube ich mir, mich anzufassen, aber die Wirklichkeit sieht anders aus, denn ich habe mir die Hände sicherheitshalber unter den Po geklemmt, um mich genau *daran* zu hindern. Schließlich geht es hier um superscharfen Sex mit meinen beiden zuverlässigsten Liebhabern: der Sonne und meiner Phantasie. Ich möchte diese Nummer nicht an einen voreiligen Höhepunkt verschwenden, ich werde sie zelebrieren. Nur meine Beine, die darf ich ein bisschen weiter spreizen …

Jetzt lasse ich das Pärchen es doggy-style machen. Sie auf allen vieren, er kniet hinter ihr und fickt sie tief. Das lange schwarze Haar hängt ihr wirr ins Gesicht, es ist voller Sand. Schweiß perlt aus ihrer Achselhöhle den Arm hinunter. Der Junge greift nach ihren schaukelnden Brüsten, auch an ihnen klebt Sand. Dann lehnt er sich nach hinten und erhöht sein Stoßtempo. Ich will endlich einen Blick auf seinen Schwanz werfen, der in der feuchten Badehose so viel versprechend ausgesehen hat, deshalb recke ich den Hals, mache einen unvernünftig weiten Schritt aus meiner Deckung heraus. Ein dürrer Ast knackt unter meinem Fuß, und die beiden werden aufmerksam. Sie starren zu mir herüber. Gebannt wie ein Kaninchen im Scheinwerferkegel stehe ich da. Der Mann spricht mich in einer fremden Sprache an, und ich schüttle den Kopf, um ihm zu signalisieren, dass ich ihn nicht verstehe.

Die junge Frau richtet sich langsam in den Kniestand auf und fängt wieder an, träge die Hüften kreisen zu lassen, als wolle sie sich seinen Schwanz hineinschrauben. Dabei lächelt sie mich an. Mir wird bewusst, dass ich immer noch meine Hand zwischen den Beinen habe, die Finger mit meiner Nässe überzogen. Und da das alles ein Wachtraum ist, verhalte ich mich in diesem Moment selbstverständlich spontan und schamlos.

»May I join you?«, frage ich heiser. *Darf ich euch Gesellschaft leisten?*

Natürlich finden die zwei meine Idee total klasse und strecken mir einladend die Hände entgegen.

Ich schrecke hoch, weil ich Schritte höre. Sie klingen verdächtig nah, und ich lasse den Blick aufmerksam umherschweifen, suche meine nähere Umgebung sorgsam nach Eindringlingen ab. Ganz geheuer ist mir nicht. Womöglich lustwandelt der dicke DJ hier oben herum und drängt sich auf, wenn er irrtümlich in die Einflugschneise meiner überschäumenden Pheromone gerät.

Ich spähe wachsam über einen Wacholderstrauch, nur um mich sogleich aufatmend wieder langzulegen. Die Störung war gar keine. Pauschaltouristen-Mama und Pauschaltouristen-Papa irren orientierungslos mit Sonnenschirm,

Luftmatratzen, Kühlbox und ihrem Pauschaltouristen-Kind durch die Dünen. Offenbar sind sie auf der Suche nach dem Parkplatz. Breit grinsend hoffe ich, dass sie noch ein bisschen weiter suchen. Vielleicht treffen sie dabei auf ein nettes schwules Pärchen, das ihnen den Weg weist …

Was meine Abenteuergeschichte angeht, bin ich jetzt an einem Punkt angelangt, wo ich mich nur schwer entscheiden kann, wie die Nummer weitergehen soll. So viel Potenzial …

Ich will mir seinen Ständer vorstellen – in allen Einzelheiten, in 3D und in Farbe! Ich will besagten Ständer reingeschoben bekommen, ich will daran lutschen … Ich will den beiden aus nächster Nähe beim Vögeln zusehen, ich will selber gevögelt werden! Ich will, dass sie mich währenddessen leckt …

Holla, die Waldfee, schon dieses Kaleidoskop pikanter Möglichkeiten sorgt dafür, dass mein reales Ich rhythmisch seine Vaginalmuskeln anspannt. Aber das geht in Ordnung, so ein bisschen Kegeltraining bringt mich nicht aus Versehen zum Orgasmus. Und die zielsicheren Sonnenstrahlen, die da immer feuriger zwischen meinen geöffneten Schenkeln herumkitzeln, auch nicht. Nur meine Hände halte ich besser weiter da raus.

In meiner Phantasie hatten die zwei mich also entdeckt …

Ich nähere mich dem genussvoll fickenden Paar. Mein Strandtuch fällt in den Sand, ich sinke vor dem Mädchen zu Boden. Ein sehr animalischer Geruch steigt mir in die Nase, und ich beobachte fasziniert, wie ihr Leib, die Hüften, die gespaltenen Schamlippen unter seinen sanften Stößen vibrieren. Er kniet noch immer hinter ihr, hält sich an ihrer Taille fest und achtet sehr genau darauf, dass sein Schwanz in dieser exponierten Stellung nicht aus ihr herausschlüpft.

Mein Gesicht ist genau auf der Höhe ihrer Brüste. Die dunkelbraunen Spitzen scheinen mich hypnotisieren zu wollen. *O mein Gott, das ist ja so aufregend!!!*

Ganz langsam beuge ich mich vor und streiche mit der Zunge über ihren rechten Nippel, der sich sofort ein wenig regt. Ich werde mutiger, züngle hin und her. Jetzt die andere Brust, feuchte Kreise wie gezirkelt. Immer dunkler wird die Haut, zieht sich zusammen. Das Mädchen schnurrt leise, und ich sauge ermutigt an der erigierten Warze, die jetzt aussieht wie ein kleines Stück Schoko-Eiskonfekt. Ich sauge stärker, benutze vorsichtig meine Zähne. Die junge Frau lässt ein tierhaft anmutendes Knurren hören. Dann greift sie in mein Haar und zieht meinen Kopf zu ihrem herauf, um mich zu küssen. Heiß fühle ich ihre feuchte Zunge in meinem Mund, sie schmeckt süß und nach Marihuana.

Als ich mich widerstrebend von ihr löse, um Luft zu holen, sehe ich, dass er plötzlich eine Flasche Sonnenöl in der Hand hält, deren Schnappverschluss bereits geöffnet ist. Er lächelt mich schlafzimmeräugig an, enthüllt dabei strahlendweiße Zähne und spritzt dann seiner Freundin ohne Vorwarnung den gesamten Inhalt der Flasche quer über Busen, Bauch und Schenkel. Sie quietscht sehr niedlich, und während er sich behutsam weiter in ihr bewegt, lässt sie mich das Öl auf ihrem Körper verteilen. Jede meiner Berührungen glitscht einfach über sie hinweg, es ist eine köstliche Sauerei, und soviel ich auch reibe und massiere, das Zeug zieht nicht ein. Sie ist mittlerweile ziemlich unruhig und stößt kleine, kehlige Laute aus, was kein Wunder ist, denn schließlich wird sie nebenher sacht, aber unaufhörlich von einem strammen Adonis gefickt. Ihre Muschi fasse ich dabei ganz bewusst noch nicht an.

Sie zerrt mich zu sich hinauf bis in den Kniestand und presst wieder begierig ihre Lippen auf die meinen. Es ist der vielleicht erregendste Kuss, den ich je bekommen habe, denn gleichzeitig greift er um sie herum, packt mich an den Hinterbacken und drängt mich nach vorn, bis seine Freundin förmlich zwischen uns eingeklemmt ist.

Sie biegt den Kopf zur Seite, macht Platz für ihn. Er küsst ganz anders als sie, sehr viel fordernder, und sein Mund schmeckt herber.

Ich fühle das dickflüssige Öl auf der erhitzten Haut des Mädchens, es glüht beinahe. Und als der Junge anfängt, sie härter zu nehmen, glitschen unsere Leiber, seinem Rhythmus folgend, aneinander entlang, finden keinen Halt, rutschen immer wieder ab. Ein lustvoll quälendes Vergnügen, wird doch auf diese Weise jeder Nerv ein wenig stimuliert, keiner aber so richtig. Habe ich gerade noch ihre harten Nippel auf meinen gespürt, sind sie im Bruchteil einer Sekunde auch schon wieder weggeflutscht. Wie die heißen Katzen winden wir uns und versuchen, unsere Venushügel aneinander zu reiben. Aber auch das ist nahezu unmöglich, weil unser Geliebter die Regeln macht. Da gibt er mich abrupt frei.

Heftig atmend rutsche ich an ihr herab, sodass ich mit einemmal von unten zwischen ihre Beine sehen kann. Und da ist sein Schwanz! Prachtvoll und unermüdlich stößt er die tropfnasse Muschi in gleich bleibendem Tempo. Sie ist so prall durchblutet, dass sie himbeerrot leuchtet, und mit ihren ausgeprägten inneren Labien sieht sie aus, als würde sie mich provozieren, mir frech die Zunge rausstrecken.

Angetörnt wie ich bin, muss ich sie lecken. Der Mann spielt das Spiel mit und verharrt ruhig in ihr, sodass ich genau maßnehmen und ihr einen feuchten, zitternden Kuss mitten auf den geschwollenen Kitzler setzen kann. Ihr kleiner, dichter, dunkler Busch hat dafür gesorgt, dass sich hierher kein Öl verirrt. Wieder knurrt sie kehlig. Ich nehme meine Hände zu Hilfe und öffne ihre Schamlippen noch weiter. Dann schiebe ich vorsichtig meine Zunge und sehr, sehr viel Spucke in die weichen Ritzen, zeichne liebevoll die einzelnen Hautfalten nach und züngle immer haarscharf am Hot Spot vorbei. Zwischendurch lecke ich ihre Säfte von dem harten Schaft, der monströs aus ihrem zarten Fleisch herauszuwachsen scheint und nun langsam seine pumpende Bewegung wieder aufnimmt. Sie jammert leise. Ich spüre, wie sie versucht, mir ihre Klit in den Mund zu schieben, aber mehr als eine blitzschnelle, nasse Zungenspitze bekommt sie nicht.

Bis er plötzlich sein Ding aus ihr herauszieht und sie sich zitternd auf den Rücken fallen lässt. Da krümme ich mich auf dem Boden zusammen, dränge ihr die Beine auseinander und nuckele an ihren vorwitzigen inneren Schamlippen, die wie dafür gemacht zu sein scheinen. Mein ganzer Körper wippt und wiegt sich im Takt dieses oralen Vergnügens, und dabei brennt mir die Sonne auf den hochgereckten Arsch.

Auf einmal ist er hinter mir. Fickt mich. Sein Schwanz fährt mühelos in mich hinein, so erregt bin ich. Er trifft auf keinerlei Widerstand, deshalb macht er es mir sehr hart und tief. Das Gefühl ist der reine Wahnsinn, und ich gebe es weiter, indem ich ungestüm meine lange Zunge in die duftende Möse des Mädchens schiebe. Hinein, heraus, hinein, heraus …

Seine Hände tasten unter mich, finden ihr Ziel und reizen mich zusätzlich mit geschmeidigen Fingern. Wie ferngesteuert taucht zeitgleich meine Zunge aus der feuchten Muschel auf, um stattdessen lustvoll die saftige Perle zu lecken.

O ja … Mein Liebhaber keucht wie ein Schwerstarbeiter … er wird gleich seinen Saft in mich ergießen, und *er* und *sie* und *ich* werden gleichzeitig explodieren …

O nein!!!

Warum fällt mir denn gerade jetzt Aids ein? Filzläuse? Oder Kinderkriegen? Dreimal verdammt! Muss denn meine Ratio mit ihren stacheligen Auswüchsen sogar in den geheimen Tiefen meiner Libido herumstochern? Ich bin echt nicht mehr zu retten.

Zwischen meinen Beinen pocht es vorwurfsvoll, der erlittene Lustverlust ist nur minimal. Na gut. Werde ich die erotischen Details eben ein bisschen – modifizieren, das bringt sogar Extraspaß!

Ich verhandle also mit meiner Ratio. Die findet, ich sollte Kondome einbauen, aber das scheint mir für eine Phantasie dann doch etwas übertrieben. Ich habe eine andere Idee. Wir einigen uns darauf, dass orale Schleckereien gerade noch vertretbar sind, woraufhin ich eilig den Film sozusagen rückwärts laufen lasse. Bis zu der Stelle, an der ich an den süßen Labien des Mädchens lutsche.

Mein ganzer Körper wippt und wiegt sich im Takt dieses oralen Vergnügens, und dabei brennt mir die Sonne auf den hochgereckten Arsch. Ich bin dazu übergegangen, ihre Möse von vorne bis hinten auszuschlecken. Sie ist der Milchtopf, ich bin die Mieze, und die kostbare Milch fließt in Strömen.

Auf einmal bringt *er* sich wieder ins Spiel. Das jungenhaft glatte Gesicht ist plötzlich ganz dicht neben mir, ich fühle seine raue Zunge an meiner entlanggleiten. Es ist ein herrliches Chaos von Lippen und Zungen, Säften und Speichel, und das Mädchen geht dabei ab wie eine Rakete. Sie kommt mit einem lang gezogenen, heiseren Schrei, der klingt, als laufe er über ein Reibeisen, während unkontrollierte Spasmen ihr Becken erschüttern. Mein Mund stößt dabei immer weiter in ihren zuckenden Schlitz, ich möchte gar nicht mehr aufhören, doch da werde ich von muskulösen Armen hochgezogen, und der Junge leckt und küsst mir ihre Feuchtigkeit aus dem Gesicht.

Wir knien eng voreinander, ich klemme seinen Schwanz fest zwischen meine ölglänzenden Oberschenkel und beginne, ungeduldig daran auf und ab zu rutschen. Ein paar verirrte Sandkörner intensivieren den Reiz der Reibung. Der Junge hält still, er hat die Augen geschlossen. Seine schönen Lippen sind zusammengepresst, die Nasenflügel blähen sich unter schweren Atemzügen, auf seiner Stirn sammeln sich Schweißtropfen. Seine Erektion strahlt Hitzewellen ab, als bestünde sie aus gebündeltem Sonnenlicht. Ich zerfließe auf ihm, höre wie von fern mein eigenes lustvolles Stöhnen und dann die Stimme des Mädchens, das mittlerweile wieder zu Atem gekommen ist.

Da ich nicht verstehe, was sie sagt, habe ich erst keine Ahnung, warum mein Gespiele sich auf ihre Worte hin vorsichtig aus meiner schlüpfrigen Umklammerung löst. Dann wird mir klar, dass sie ihm eine Anweisung gegeben hat. Er manövriert mich so, dass ich über ihrem Gesicht hocke und bringt mich mit zärtlichen Händen in eine Position, in der sie mein Geschlecht ganz entspannt mit ihrem Mund erreichen kann.

Eine federleichte Zungenspitze gleitet langsam meine Spalte entlang, schlanke Finger umfassen meine Pobacken, öffnen mich. Der Junge greift mit weit derberen Händen nach meinen Brüsten und saugt mir gleichzeitig kräftig an den Nippeln. Ich lege den Kopf in den Nacken, überlasse mich diesem Ansturm von Sinnesreizen. Mein Blick verliert sich im leuchtenden Blau des Himmels.

Bald kann ich nicht mehr, von diesem Tagtraum wird mir schon im Liegen schwindlig, mein Atem geht stoßweise, und mich nicht anzufassen ist pure Folter. Ich befreie meine Hände aus ihrem unbequemen Gefängnis und lege sie behutsam neben meinem Körper auf dem Strandtuch ab. Trotzdem zügle ich mich, nur ein klein wenig länger möchte ich den Phantasie-Dreier mit meinen beiden Auserwählten noch auskosten …

Die junge Frau verwöhnt mich sehr gekonnt, weder zu schnell noch zu fest. Herrlich nass und zielsicher steigert sie meine Lust, offensichtlich ist sie geübt auf diesem Gebiet. Jetzt intensiviert sie ihre Liebkosungen, die kleine rosa Zunge wird plötzlich ganz hart und revanchiert sich ausgiebig für den oralen Fick, den ich ihrer Besitzerin vorher verpasst habe.

Der standhafte Adonis lässt seine Hände hinauf zu meinen Schultern wandern und drängt mich sanft, aber beharrlich in eine gebückte Haltung, bis mein Gesicht auf Höhe seiner Lenden ist. Der leichte Windhauch, der in diesem Moment über uns hinweggleitet, bringt nicht nur frischen Rosmarinduft mit sich, sondern auch das würzige Aroma des bildschönen Schwanzes vor meiner Nase.

Ich schließe meine Lippen um die pralle, feucht glänzende Eichel, ich kann gar nicht anders, und sie schmeckt genauso gut, wie sie riecht. Der Junge stöhnt laut auf und dringt weit in die Höhle meines Mundes ein, während seine Hände locker auf meinem Scheitel liegen. Als er sich immer heftiger bewegt, umfasse ich seinen Schaft mit beiden Händen, um die Stöße besser kontrollieren zu können.

Das Mädchen konzentriert sich mittlerweile auf meinen Kitzler, zieht ihn zwischen ihre weichen Lippen und umkreist das empfindliche Köpfchen rhythmisch mit der Zunge. Ich spüre wellenförmig meinen Orgasmus herankommen, mir zittern die Knie, das Fußkettchen klingelt wie bei einem Zirkuspferd, und mein lang gezogenes Stöhnen lässt den Lutscher in meinem Mund vibrieren. Sie lacht leise und steckt mir zwei Finger in die klatschnasse Möse, auf denen ich wild reite.

O Gott, das tut so gut! O ja, ja …

Endlich setze ich sacht meine Hände ein. Sehr, sehr wachsam, um den kostbaren Augenblick noch länger hinauszuzögern. Nur noch ein klitzeklein wenig!

Lustvolle Bilder treiben mich weiter, die Sonnenstrahlen kitzeln himmlisch … Da lässt ein leises Geräusch in unmittelbarer Nähe mich schlagartig erstarren wie versteinertes Strandgut.

Als ich meine Augen aufreiße, blendet die plötzliche Helligkeit mich so, dass ich für einen Moment überhaupt nichts sehen kann. Sehr langsam kristallisieren sich menschliche Umrisse aus dem Nebel, und in meine Wut darüber, unterbrochen worden zu sein, mischt sich jäh eine gehörige Portion Schamgefühl. Schließlich liege ich hier, *feucht und fummelnd*, und mache eine solche Gabel, dass der störende Besucher vermutlich ungehindert in meine Stirnhöhlen gucken kann – und zwar von unten. Meine Erstarrung löst sich, ich richte mich halb auf und schließe hastig die Beine.

Die Umrisse werden deutlicher, es sind zwei. Der Junge und das Mädchen vom Strand, meine Phantasiegespielen!

Ich weiß nicht, wie lange sie dort schon stehen, ob sie auf der Suche nach einem Liebesnest gerade erst über mich gestolpert oder Zeugen meiner wachsenden Erregung geworden sind, aber als mein Blick auf seine weiße Badehose fällt, erkenne ich darunter die harte Beule einer ausgewachsenen Erektion.

Schweigend sehen wir uns an. Ich höre das Meer rauschen. Ein Schweißtropfen rinnt mir den Busen entlang und versickert in meinem Bauchnabel.

Warum entschuldigen die beiden sich nicht einfach und suchen sich ein eigenes Versteck?

Das Mädchen ist ein dunkler Typ, ein bisschen verwegen, irgendwie. Sie fixiert mich aus schwarzen Augen und schiebt zögernd eine Hand unter den Gummi ihres Bikinihöschens. Dann sagt sie ein paar Worte zu ihrem Freund. Es ist eine Sprache, die ich nicht verstehe. Er lächelt.

»May we join you?«, fragt er mich.

Ich lächle zurück und lege den Kopf in den Nacken. So schön blau wie hier ist der Himmel nirgends, finde ich.

Lieblingsblau …